NIGHT WORLD

L. J. SMITH

NIGHT WORLD

TOME 4 : ANGE NOIR

Traduit de l'anglais (États-Unis)
par Isabelle Saint-Martin

Titre original :
Dark Angel
© Lisa J. Smith, 1996.

© Éditions Michel Lafon, 2010, pour la traduction française.
7-13, boulevard Paul-Émile-Victor – Île de la Jatte
92521 Neuilly-sur-Seine Cedex
www.michel-lafon.com

NIGHT WORLD

JAMAIS Il N'A ÉTÉ AUSSI DANGEREUX D'AIMER

Le Night World ne se limite pas à un endroit précis. Il nous entoure. Aux yeux des humains, les créatures du Night World sont belles, mortelles et irrésistibles. Un ami proche pourrait en faire partie – la personne que vous aimez aussi.

Les lois du Night World sont très claires : sous aucun prétexte son existence ne doit être révélée à qui que ce soit d'extérieur. Et ses membres ne doivent pas tomber amoureux d'un individu de la race humaine. Sous peine de conséquences terrifiantes.

Voici le récit de ce qui arrive à ceux qui enfreignent ces lois.

Pour Janie, Cathy et Karen.

1

Gillian Lennox ne pensait pas mourir ce jour-là.

En revanche, elle était furieuse. Furieuse d'avoir manqué le bus entre l'école et la maison, furieuse d'avoir froid et aussi de se sentir tellement seule à quinze jours de Noël.

Elle longeait la route déserte qui montait et descendait parmi les collines venteuses, comme souvent au sud-ouest de la Pennsylvanie, et chassait à coups de pied exaspérés ces fichus tas de neige qui lui barraient le chemin.

Sinistre journée. Le ciel était gris, la neige, sale, et Amy Nowick, qui aurait dû l'attendre le temps qu'elle finisse de nettoyer son atelier de dessin, était partie avec son nouveau copain.

Bon, elle ne l'avait sans doute pas fait exprès. Pas de quoi lui en vouloir ni se sentir jalouse… quoique, une semaine auparavant, elles aient toutes deux atteint leurs seize ans sans jamais avoir embrassé personne.

Gillian ne désirait que rentrer au plus vite.

C'est alors qu'elle entendit les cris.

Elle s'arrêta, chercha du regard d'où cela pouvait venir. Ce devait être un bébé… ou plutôt un chat. Sans doute dans ces bois, derrière elle…

Tout de suite, elle songea à Paula Belizer. Mais non, impossible ! Cette petite fille avait disparu dans les parages depuis plus d'un an, maintenant.

Les pleurs retentirent de nouveau, faibles, lointains, comme s'ils montaient des profondeurs du taillis. Cette fois, elle fut certaine qu'il s'agissait de gémissements humains.

– Hé ! Il y a quelqu'un ?

Pas de réponse. Elle inspectait de loin la futaie de chênes et de noyers en essayant de distinguer quelque chose à travers les branchages dénudés. Ce n'était pas très engageant.

Personne sur la route. Ce qui n'avait rien d'étonnant au fond, elles étaient plutôt rares, les voitures qui passaient par là.

Je n'entre pas là-dedans toute seule, se dit-elle. Elle n'était pas du genre à s'aventurer avec enthousiasme dans l'inconnu.

Mais qui pouvait se trouver là ? Comment ne pas intervenir quand on appelait à l'aide ?

Gillian enfila le sac à dos qu'elle portait à l'épaule,

afin de se libérer les mains. Elle entreprit alors d'escalader la crête neigeuse qui surplombait les bois en contrebas.

– Qui est là ? lança-t-elle.

Elle se sentit un peu bête de ne pas recevoir de réponse, pourtant, elle insista :

– Hé ! Répondez !

Seuls les vagissements lui parvenaient, quelque part en face d'elle.

Elle entreprit de descendre la pente. Elle avait beau ne pas peser très lourd, à chaque pas elle s'enfonçait dans la neige jusqu'aux chevilles.

Dire que je porte des baskets ! Le froid commençait à lui envahir les pieds.

Pourtant, il y avait moins de neige dans les bois et, là au moins, elle paraissait immaculée. Ce qui ne lui en donnait qu'une plus grande impression de solitude. Comme si elle se trouvait en pleine cambrousse.

Un tel silence régnait par là ! Plus elle s'enfonçait, plus elle le trouvait assourdissant. Elle dut s'arrêter et retenir son souffle pour percevoir encore les geignements.

À gauche, se dit-elle. *Continue, tu n'as rien à craindre.*

Cependant, plus un son ne sortait de sa gorge.

Il se passe des trucs bizarres ici...

Elle s'enfonçait de plus en plus profondément dans les bois. La route était loin derrière elle maintenant. Elle croisa des empreintes de renard et des traces de griffes d'oiseau sur la neige... mais rien d'humain.

Cependant, les pleurs montaient droit devant elle, de plus en plus audibles. Bon, cela provenait sans doute de cette colline. *Allez, tu y es presque ! Tant pis si tu as les pieds glacés.*

Elle progressait non sans difficulté sur ce sol iné-gal et cherchait des pensées rassurantes pour se donner du courage.

Je pourrais peut-être écrire un article pour le Viking News et tout le monde m'admirera... sauf que... c'est cool ou pas cool de sauver quelqu'un ? C'est peut-être trop bien pour être cool ?

Question importante dans la mesure où Gillian nourrissait deux ambitions ces temps-ci : 1) David Blackburn, 2) se faire inviter aux fêtes parmi les élèves les plus populaires du lycée. Or toutes deux dépendaient en grande partie du fait d'être cool.

Si seulement elle était populaire, si seulement elle se sentait bien dans sa peau, le reste suivrait d'office. Ce serait tellement plus facile d'être quelqu'un d'extra-ordinaire, de faire quelque chose pour le monde, de réussir sa vie si au moins elle se sentait aimée et acceptée. Si elle n'était pas timide, si elle n'avait pas cette allure de petite fille…

Elle atteignit le sommet de la colline en se rattrapant à une branche pour garder son équilibre. Tout en reprenant sa respiration, elle regarda autour d'elle.

Rien. Que les bois tranquilles qui descendaient vers un torrent.

Et pas un bruit non plus. Les cris avaient cessé.

Ce n'est pas vrai…

Le dépit était si fort que Gillian en oublia presque sa peur.

– Hé ! cria-t-elle. Vous êtes toujours là ? Vous m'entendez ? Je viens vous donner un coup de main.

Silence. Et soudain, à peine audible, un son.

Juste devant.

Mon Dieu ! songea-t-elle. *Le torrent !*

L'enfant était dans l'eau, accroché à quelque chose, et il perdait peu à peu ses forces…

Elle dévala la pente en dérapant, la neige molle suspendue à ses jambes comme des boulets glacés.

Le cœur battant, le souffle court, elle s'arrêta sur la rive ; à ses pieds, elle voyait des fragments de glace pendre comme des pétales au-dessus des flots jaillissants. Les gouttelettes avaient gelé tels des diamants sur l'herbe en surplomb.

Mais pas un être vivant à l'horizon. Affolée, Gillian scrutait la sombre surface.

– Tu es là ? cria-t-elle. Tu m'entends ?

Rien. Que les rochers, les branches coincées entre les pierres, le rugissement du cours d'eau qui dominait tout autre bruit.

– Où es-tu ?

Et si l'enfant s'était laissé emporter ?

Elle se pencha, imaginant déjà une tête mouillée, une silhouette inerte ballottée par le courant. Elle s'inclina davantage.

Erreur. Un léger déséquilibre, ou la glace sous ses pieds. Toujours est-il qu'elle se retrouva à faire des moulinets mais ne put se redresser...

Elle volait. Plus rien de solide autour d'elle. Trop surprise pour avoir peur.

Dans un choc pétrifiant, elle atteignit l'eau.

2

Tout n'était plus que brouillard gelé. La tête sous l'eau, elle se sentait tomber encore plus bas, plus loin. Elle ne voyait rien, ne pouvait respirer et se trouvait complètement désorientée.

Enfin, son visage émergea. Instinctivement, elle inspira une grande goulée d'air.

Elle agitait les bras, mais c'était comme s'ils restaient collés le long de son corps. Le torrent s'élargit bientôt et le courant devint de plus en plus fort. Entraînée malgré elle, elle avait l'impression d'avaler des litres d'eau au lieu de cet air qui lui manquait tant.

Et ce froid qui la dévorait de douleur.

Je vais mourir.

Dans la brume où elle sombrait, c'était une certitude qui flottait encore à la surface de son esprit, pourtant son corps s'entêtait, luttant comme s'il était pourvu de son propre cerveau. Tout d'abord, il put se débarrasser du sac à dos, si bien que sa parka lui servit de gilet de sauvetage naturel, l'aidant à garder la tête hors de l'eau. Elle voulut ancrer ses pieds au fond de l'eau pour mieux se maintenir.

Mauvaise idée. Le torrent ne faisait pas plus d'un mètre cinquante de profondeur en son centre, mais c'était encore trop haut pour le menton de Gillian. Elle était si petite, si faible, qu'elle ne pouvait plus résister, d'autant que le froid la paralysait à une vitesse alarmante. Chaque seconde, ses chances de survie diminuaient.

C'était comme si le torrent devenait un monstre qui la haïssait et s'acharnait sur elle. Il la précipitait contre les rochers, pour l'entraîner à nouveau avant que ses mains n'aient le temps de trouver où s'accrocher. D'ici à quelques minutes, elle ne parviendrait même plus à garder le visage au-dessus de la surface.

Il faut que j'attrape quelque chose.

C'était ce que lui répétait son corps. Sa dernière chance.

Là. Un peu plus haut, sur la rive gauche, une saillie où s'entremêlaient des racines. Il fallait qu'elle y arrive. *Saute. Nage.*

Elle crut l'avoir manquée, pourtant elle avait réussi ; les racines étaient plus larges que ses bras et lui donnaient l'impression de pénétrer dans un nid de serpents.

Elle s'y accrocha d'une main et put enfin respirer. Cependant son corps restait sous l'eau glacée du torrent, ballotté en tous sens.

Il fallait sortir de là, mais cela lui semblait impossible alors qu'elle avait à peine la force de se retenir à ces racines ; jamais ses muscles engourdis ne pourraient fournir l'effort de la tirer sur la rive.

Un élan de haine la saisit, pas contre le torrent mais contre elle-même, pour être si petite et si chétive qu'elle allait en mourir. Et cela se passait en ce moment, c'était la réalité.

Jamais sa mémoire ne saurait évoquer précisément ce qui se passa ensuite. Son esprit avait lâché prise, il ne lui restait que sa rage et ce besoin brûlant de se hisser plus haut. Ses jambes s'agitaient en tous sens et, quelque part, elle savait que chacun de ses coups de pied contre les rochers aurait dû lui faire mal. Cependant, rien d'autre ne comptait que son envie désespérée de s'en sortir, d'extraire, centimètre par centimètre, son corps transi des eaux en furie.

Et voilà qu'elle s'en sortit. Pour se retrouver allongée sur les racines, dans la neige, la vue embuée, ne songeant plus qu'à respirer. Mais vivante.

Elle resta ainsi un long moment, à savourer son soulagement, pas trop consciente du froid qui l'accaparait.

J'ai réussi ! Je suis tirée d'affaire, maintenant.

Mais, alors qu'elle tentait de se lever, elle comprit à quel point elle se trompait.

Quand elle voulut se mettre debout, les muscles flasques de ses jambes se dérobèrent.

Et ce froid... et ses vêtements trempés qui pesaient sur elle comme une armure médiévale. Elle avait perdu ses gants, son bonnet et, à chaque respiration, elle avait l'impression de se geler davantage, au point qu'elle fut bientôt prise de violents frissons.

Trouver la route... il faut que je remonte vers la route. Où, au fait ?

Elle avait déboulé quelque part en aval du torrent. Quelle distance avait-elle parcouru, au juste ?

Tant pis... Déjà, m'éloigner du torrent... Gillian avait de plus en plus de mal à formuler des pensées cohérentes. Elle se sentait raide et maladroite, et tremblait si fort qu'il lui devenait à peu près impossible d'enjamber les branches et les troncs renversés. Ses doigts rouges et gonflés ne lui obéissaient plus.

J'ai trop froid... si seulement je ne tremblais pas autant...

Au fond, elle savait très bien qu'elle était dans une situation alarmante. Si elle n'atteignait pas très vite la route, elle ne s'en tirerait pas. Mais c'était comme si le signal d'alarme s'étouffait lentement en elle, comme si elle était saisie d'une sorte d'apathie. Cette forêt broussailleuse lui rappelait plutôt un décor de conte de fées.

Elle errait... trébuchait, ne savait plus où elle allait. Droit devant, voilà tout ce qu'elle savait. Avancer vers ce rocher enneigé, enjamber cette branche ou la contourner.

D'un seul coup, elle se retrouva le visage dans la neige. Elle était tombée et il lui fallut fournir un effort gigantesque pour se relever.

Ces vêtements... ils sont trop lourds. Je devrais les enlever.

Quelque part, elle eut l'impression que ce n'était pas la bonne solution. Son cerveau ne fonctionnait plus correctement ; l'hypothermie lui faisait perdre la tête. Elle obligea ses mains à ouvrir sa parka, à s'en débarrasser.

Toujours ça de moins... Maintenant, je marcherai mieux...

Elle ne marchait pas mieux du tout. Elle tombait sans cesse. Elle n'arrêtait pas de se relever, de se remettre en marche, et c'était chaque fois plus difficile.

Son pantalon lui pesait sur les jambes comme si on y avait attaché des plaques de glace. Y jetant un regard agacé, elle s'aperçut qu'il était couvert de neige collante.

Bon, si je l'ôtais aussi ?

Elle ne savait plus comment fonctionnait une fermeture Éclair ; elle n'arrivait pas à se concentrer. Les violents frémissements qui l'agitaient s'espaçaient maintenant, intercalés de pauses de plus en plus longues.

Ce doit être... bon signe... Je dois m'habituer au froid.

Il faudrait juste que je me repose un peu.

Une petite voix désespérée la suppliait de ne pas s'arrêter, pourtant Gillian s'assit dans la neige.

Elle se trouvait au milieu d'une petite clairière apparemment déserte, pas même les empreintes d'un rat ou d'un écureuil sur le manteau immaculé qui l'entourait. Au-dessus de sa tête, tout était également blanc.

Bel endroit pour mourir.

Elle ne tremblait plus.

Ce qui signifiait que tout était fini. Son corps ne pouvait même plus recourir aux frissons pour se réchauffer et abandonnait le combat. Il ne savait plus que se mettre en hibernation, se repliant sur lui-même, ralentissant le rythme des poumons et du cœur, s'efforçant juste de conserver le peu de chaleur qui lui restait. Tâchant de survivre jusqu'à l'arrivée des secours.

Sauf qu'aucun secours n'arrivait.

Personne ne savait où elle se trouvait. Il faudrait des heures avant que son père ne rentre à la maison ou que sa mère ne se réveille. Et, là encore, ils ne s'inquiéteraient pas de son absence. Ils se diraient qu'elle était avec Amy. Le temps que quiconque se lance à sa recherche, il serait beaucoup trop tard.

Quelque part, son esprit le savait très bien, mais tant pis. Elle avait atteint ses limites physiques... elle ne pouvait plus se tirer d'affaire même si elle en trouvait tout d'un coup le moyen.

Ses mains n'étaient plus rouges mais d'une sorte de blanc bleuté. Ses muscles se raidissaient.

Au moins n'avait-elle plus froid. Et elle se sentait terriblement soulagée de ne pas avoir à bouger. Elle était si fatiguée...

Son corps glissait lentement vers le processus de la mort.

Une brume blanchâtre envahissait son esprit. Elle ne sentait plus le temps passer. Son métabolisme ralentissait tant qu'il finirait bientôt par s'arrêter.

Elle devenait un être de glace, à peu près aussi vivante que les troncs d'arbres ou les rochers alentours.

Je suis en danger... au secours... quelqu'un...

Maman...

Et sa dernière pensée : *c'est comme si on s'endormait.*

Subitement, elle ne ressentit plus ni rigidité ni souffrance. Elle était légère, calme et libre... et flottait parmi les cimes des arbres enneigés.

Quel bonheur d'avoir enfin chaud ! Vraiment chaud, comme si le soleil s'était remis à briller sur elle. Elle en rit de plaisir.

Mais où suis-je ? Il ne vient pas de m'arriver... quelque chose... de mal ?

Sur le sol, en dessous d'elle, apparaissait une silhouette recroquevillée. Gillian l'observa non sans curiosité.

Une petite fille. Presque cachée par ses longs cheveux blonds aux mèches déjà couvertes de givre. Elle avait un visage délicat, les traits fins mais la peau tellement blême qu'elle paraissait morte.

Ses yeux étaient fermés, ses cils, blanchis. Gillian savait que ses paupières cachaient des prunelles violettes.

Ah oui ! Je me rappelle... C'est moi.

Cette idée ne la troubla pas. Elle ne se sentait aucun lien avec la pauvre chose tapie dans la neige. Elle ne lui appartenait plus.

Sans davantage s'en préoccuper, elle se détourna… pour constater qu'elle se trouvait dans un tunnel.

Un lieu sombre, immense, insondable, donnant l'impression que l'espace était comme plié, distordu… comme le temps, peut-être.

Elle courait, volait à travers une obscurité trouée çà et là d'éclats de lumière… Jusqu'où s'engagea-t-elle ainsi ?

Oh non ! songea soudain Gillian. *C'est le fameux tunnel de la mort… et j'y suis… là, en ce moment.*

Je suis morte.

Et je fonce en dehors de l'espace-temps, comme dans Star Trek.

Bizarre d'être morte et de conserver son sens de l'humour.

Étranges contradictions… Cela semblait plus réel que tout ce qu'elle avait connu du temps qu'elle était vivante. En même temps, elle ressentait une bizarre impression d'illusion, comme si son être se diluait sur les bords de ce tunnel, dans ces lueurs, dans ce mouvement, comme si elle ne possédait plus de corps défini.

Et si tout ça ne se passait que dans ma tête ?

D'un seul coup, cette idée lui fit peur. Il pouvait se passer des choses terrifiantes dans sa tête... Et si elle ne faisait jamais que courir à travers ses cauchemars, à travers tout ce que son subconscient pouvait concevoir de plus angoissant ?

Le tunnel avait changé. Une brillante lumière scintillait devant elle. Non pas blanc-bleu comme on la représentait dans les films mais d'un doré clair, plutôt floue bien que totalement éblouissante, comme si elle la voyait derrière un verre dépoli.

Elle s'émerveillait devant tant de puissance... tant d'assurance. Gillian avait l'impression de se retrouver à l'aube de l'univers. Et elle s'y projetait à une telle vitesse qu'elle ne voyait plus rien d'autre.

Elle était dedans.

La lumière l'englobait, l'entourait et semblait même briller à travers elle. Elle volait vers les sommets de sa radiance tel un nageur remontant à la surface.

Peu à peu, elle perdit toute sensation de mouvement. La lumière s'estompait... à moins que ce ne soient ses yeux qui s'adaptaient.

Des ombres se matérialisaient autour d'elle.

Elle était dans une prairie, sur une herbe extraordinaire, d'un vert tellement affirmé qu'il en devenait impossible, comme éclairé de l'intérieur. Le ciel semblait d'un bleu tout aussi irréel. Et Gillian portait une robe d'été légère qui tournoyait autour d'elle.

Ces fausses couleurs ne donnaient qu'une impression de rêve, sans parler des colonnes blanches qui s'élevaient de l'herbe, à distances régulières, et ne supportaient rien du tout.

Alors, c'est ainsi que ça se passe quand on meurt. Maintenant… il devrait y avoir quelqu'un qui vienne à ma rencontre. Grand-père Trevor ? J'aimerais bien le revoir marcher.

Pourtant, personne ne venait. Le paysage était beau, paisible, surnaturel… et totalement désert.

Rongée par une anxiété grandissante, Gillian commençait à douter de l'endroit où elle se trouvait. Et si ce n'était pas… ? Après tout, elle n'avait jamais été très gentille avec personne. Et si elle se retrouvait en enfer ?

Ou… dans les limbes ?

Cet endroit où devaient errer les esprits qui parlaient aux médiums – des êtres célestes ne diraient pas tant d'âneries.

Et si elle devait rester seule ici, jusqu'à la fin des temps ?

Aussitôt, elle regretta cette pensée car il semblait qu'en ces lieux les pensées, ou les peurs, pouvaient influer sur la réalité.

Une odeur rance lui montait aux narines.

Et... n'entendait-elle pas des voix tout d'un coup ? Des fragments de phrases qui flottaient dans l'air autour d'elle ?

– Tellement blanc qu'on ne peut pas voir...

– Une fois et demie...

– Si seulement je pouvais, ma fille...

Elle eut beau se tourner et se retourner pour tenter d'y comprendre quelque chose ou seulement s'assurer qu'elle entendait vraiment ces paroles, elle eut soudain la sinistre impression que ces voix merveilleuses s'écroulaient de toutes parts.

Oh non ! Vite, des pensées positives ! Si seulement je n'avais pas regardé tant de films d'horreur ! Je ne veux pas voir ce genre de trucs... le sol qui s'ouvrirait en deux et des mains qui tenteraient de me happer.

Et je ne veux pas non plus qu'un spectre plein d'os vienne me chercher...

Ça allait mal. Même quand elle s'efforçait de ne penser à rien, cela provoquait des images, et la peur l'oppressait tandis qu'elle croyait voir l'éblouissante prairie s'effacer dans un cauchemar de puanteur et d'obscurité. Cela pouvait se produire à tout instant maintenant...

Déjà un mouvement attirait son attention... impossible de le manquer. Non loin d'elle, une espèce de brume de lumière flottait au-dessus de l'herbe. Elle n'était pas là quelques instants plus tôt. À présent, elle semblait s'intensifier et s'étirer, comme si elle provenait de très loin.

Une silhouette se dessinait en son sein, qui venait vers elle.

3

Au début, ça n'avait été qu'une tache, comme un insecte sur une ampoule. Ensuite, on aurait plutôt dit un cerf-volant. Pétrifiée, Gillian regarda s'approcher cette créature et comprit soudain de quoi il s'agissait.

C'était un ange.

Plus elle regardait, moins elle avait peur. L'apparition semblait scintiller de la même lumière que la brume qui l'entourait. Elle évoquait un être humain de haute taille, qui marchait d'un pas précipité dans sa direction.

Un ange, se dit celle-ci ébahie. *Un ange…*

D'un seul coup, la brume s'évanouit, la lumière s'atténua, dévoilant la silhouette debout devant elle, sur l'herbe.

Gillian cligna des yeux.

Euh… pas un ange en fin de compte. Un jeune homme. Dans les dix-sept ans. Et… beau à tomber par terre.

La régularité de ses traits rappelait une statue classique de dieu grec avec ses cheveux dorés et ses yeux non pas bleus mais violets, bordés de longs cils.

Et un corps incroyable.

Comme si c'était le moment de penser à ça ! songea-t-elle horrifiée. Pourtant, elle aurait eu du mal à ne pas le remarquer, maintenant qu'il avait presque l'air d'un type ordinaire en jean délavé et tee-shirt blanc ; il aurait pu servir de modèle pour une pub, car il paraissait athlétique sans être trop musclé.

Son seul défaut, s'il fallait lui en trouver un, était sans doute cette expression un peu trop inspirée, presque trop douce pour un garçon.

À son tour, il la dévisagea, puis finit par ouvrir la bouche :

– Salut, gamine ! lança-t-il avec un clin d'œil.

Elle en resta médusée… et furieuse. En temps normal, elle avait du mal à s'exprimer devant les garçons mais, au fond, maintenant qu'elle était morte elle n'avait plus rien à perdre, et ce mec venait de toucher un point sensible.

– C'est moi que vous traitez de gamine ? s'exclama-t-elle indignée.

Il sourit :

– Pardon, je ne voulais pas te vexer.

Perplexe, elle se contenta de hocher poliment la

tête. Qui était cette personne ? Elle avait toujours entendu dire qu'au bout du tunnel on était accueilli par des amis ou des gens de la famille. Mais ce gars-là, elle ne l'avait jamais vu de sa vie.

En tout cas, ce n'était pas un ange.

— Je suis venu t'aider, déclara-t-il comme s'il avait lu dans ses pensées.

— M'aider ?

— Oui, tu vas devoir faire un choix.

Ce fut alors qu'elle remarqua la porte.

Juste derrière lui, à peu près à l'endroit d'où provenait la brume de lumière. C'était une porte... sans l'être, plutôt un encadrement miroitant dans l'atmosphère douce.

Une onde d'effroi parcourut l'esprit de Gillian. Sans trop savoir pourquoi, elle était certaine que cette porte revêtait une importance capitale, quoi qu'il puisse se trouver derrière.

Un autre monde, d'autres lois que celles qui régissaient le sien. Pas forcément mauvaises, juste si puissantes et si différentes qu'elles en devenaient effrayantes.

La voici, la vraie porte. Tu la passes et tu ne reviens jamais en arrière. Si elle avait une envie folle d'aller voir ce qui se passait de l'autre côté, en même temps cela lui faisait tellement peur qu'elle en avait le tournis.

– En fait, reprit le garçon, ton heure n'avait pas vraiment sonné.

Ça, je m'en serais doutée, c'est le coup classique.

Cependant, elle était trop impressionnée pour pouvoir encore articuler une parole. Elle se contenta de déglutir, d'écarquiller les yeux.

– Enfin, poursuivit-il, tu es là. C'est une erreur mais on va devoir faire avec. Quand ça se produit, on laisse en principe le choix à la personne.

– Quoi ? De mourir ou pas ?

– Grosso modo.

– Et c'est à moi de décider ?

– Exactement. C'est peut-être le moment de faire le point sur ta vie, non ?

Hochant la tête, elle s'éloigna de quelques pas pour ne plus regarder que l'éblouissante prairie et tâcher de réfléchir.

Si on m'avait demandé ce matin si je voulais rester vivante ou non, je ne me serais même pas posé la question. Alors que maintenant…

Maintenant, elle se sentait comme rejetée, pas assez bien par rapport aux autres, surtout si elle pensait à ce qu'elle avait accompli jusque-là… Tenait-elle donc tant à retrouver cette vie ?

Pour ce que je représente là-bas… ni intelligente comme Amy, qui récolte toujours les meilleures notes, ni belle, ni douée. Alors qu'est-ce qu'il me reste ? Qu'est-ce que je retrouverai ?

Sa mère… qui buvait et qui dormait déjà lorsque Gillian rentrait ; son père qui ne cessait de la houspiller. La solitude maintenant qu'Amy avait un copain. Tous ces désirs qui la hantaient et qu'elle ne pourrait jamais assouvir ; par exemple David Blackburn avec son sourire dubitatif, ou alors être populaire, aimée, acceptée ; ou encore que les gens la trouvent intéressante et… adulte.

C'est vrai qu'il y a quand même des choses que j'aime bien dans cette vie…

– Les pâtes au fromage ? lança la voix du garçon.

Gillian se retourna :

– Pardon ?

– Tu aimes ça. Surtout les soirs où il fait froid. Et aussi les chats. L'odeur des bébés. Les toasts à la cannelle dégoulinants de beurre que préparait ta mère à l'époque où elle se levait encore le matin. Les films d'horreur.

Jamais Gillian n'avait confié ses goûts à personne.

– Comment le savez-vous ?

Il avait vraiment un sourire craquant.

– On voit tellement de choses par ici ! Mais toi, la vie ne t'intéresse donc pas plus que ça ? Il ne te reste rien à y faire ?

À vrai dire, elle n'avait rien fait du tout, rien accompli de valable. *Mais j'ai eu si peu de temps !* clama une petite voix en elle, aussitôt contredite par une autre, plus sévère : *Tu crois que c'est une excuse ? Personne ne sait combien de temps il vivra. Tu as eu des tas de minutes et tu les as presque toutes gâchées.*

– Dans ce cas, tu n'as pas envie de retourner t'y mettre ? proposa gentiment le garçon. Voir si tu ne pourrais pas faire mieux ?

Si.

D'un seul coup, Gillian fut emplie de ce même élan de rage qui l'avait aidée à se sortir du torrent, une rage saine, qui la poussait à entreprendre. Elle pouvait le faire. Elle pouvait tout changer, orienter sa vie dans une direction nouvelle.

Et puis, il fallait penser à ses parents. Ils s'entendaient déjà très mal et les choses ne pourraient qu'empirer s'ils venaient à perdre leur fille. Ils s'accuseraient l'un l'autre. Quant à Amy, elle s'en voudrait à mort de ne pas avoir attendu Gillian pour la ramener du lycée en voiture...

À cette idée, elle ne put s'empêcher d'éprouver une certaine satisfaction, qu'elle s'empressa de chasser de peur que le jeune homme ne la surprenne.

Néanmoins, elle savait maintenant qu'elle avait trouvé une nouvelle perspective à sa vie, la sensation que celle-ci était et resterait tout ce qu'elle possédait de plus précieux et que le pire serait de la gâcher.

– Je veux y retourner, déclara-t-elle alors.

Il hocha la tête, toujours avec ce sourire...

– Je m'en doutais.

Il avait dit cela d'une voix douce, emplie d'amour, d'infinie compréhension...

– Allons-y, Gillian, dit-il en lui tendant la main.

Il avait les yeux si profondément violets...

Elle hésita un instant puis fit le geste de prendre cette paume ouverte devant elle ; à vrai dire, ils ne se touchèrent pas vraiment dans la mesure où, à l'instant où leurs doigts allaient se joindre, elle éprouva un violent fourmillement et fut éblouie par un éclair. Au milieu d'une avalanche de sensations bizarres, elle ne put que constater que le garçon avait disparu.

Sur le moment, elle se sentit plutôt... détachée de ce qui l'entourait, comme en pleine chute.

Et puis quelque chose vint à elle. Très vite, d'une direction qu'elle n'aurait su déterminer, ni de droite ni de gauche, ni d'en haut ni d'en bas. L'ombre d'immenses ailes déployées lui donnait l'impression d'être une souris survolée par un faucon.

Une souris qui n'avait qu'une envie, se réfugier dans son trou.

Déjà, Gillian filait à travers le tunnel, loin de la pelouse et de tout ce qui pouvait venir dans sa direction. L'énorme être ailé n'avait marqué son esprit qu'un court instant, elle l'avait oublié.

Par la suite, elle prendrait conscience de l'erreur qu'elle commettait là.

Pour le moment, le temps semblait compressé et elle glissait seule à travers le tunnel, tel un flot dans un canal, jusqu'à ce qu'elle aperçoive un puits profond qui s'ouvrait sous elle.

Au fond de ce puits brillait un cercle de lumière, comme au bout d'un télescope. Et au milieu du cercle gisait le corps minuscule d'une fillette sur la neige.

Mon corps, songea-t-elle... Il s'agrandissait comme s'il fondait sur elle, comme s'il l'aspirait... trop vite.

Beaucoup trop vite. Elle avait perdu tout contrôle. Ce corps lui allait comme un gant mais le choc l'assomma.

Aïe !

Gillian souleva les paupières... ou du moins essaya. C'était aussi difficile que de faire des tractions. À la deuxième ou à la troisième tentative, elle parvint à garder une mince fente ouverte.

Du blanc partout. Éblouissant. Aveuglant.

Où... ? C'est de la neige ?

Qu'est-ce que je fais dans la neige ?

Des images lui revinrent. Le torrent. L'eau glacée. L'escalade. La chute. Le froid…

Ensuite… elle ne se rappelait plus. Mais elle savait maintenant où elle avait mal. Partout.

Je n'arrive pas à bouger.

Ses muscles étaient raides comme des barres d'acier. Pourtant, elle savait qu'il ne fallait pas rester là. Sinon…

Les souvenirs lui explosèrent alors à la mémoire.

Je suis déjà morte.

Bizarrement, cette prise de conscience lui donna de la force. Elle parvint à s'asseoir… entendit un craquement. Ses vêtements étaient durcis par la glace.

Elle réussit enfin à se lever. Normalement, cela n'aurait pas dû être possible. Depuis le temps qu'elle gisait dans ce froid, elle aurait dû mourir complètement gelée.

Pourtant, elle était debout, elle arrivait même à mettre un pied devant l'autre.

Elle ne savait toujours pas où se trouvait la route. Pire, la nuit allait bientôt tomber. À ce moment-là, elle ne verrait même plus ses propres traces dans la neige et risquait alors de tourner sur elle-même à travers bois, jusqu'à ce que son corps lâche prise à nouveau.

– *Tu vois ce chêne blanc ? Contourne-le.*

La voix avait résonné dans son oreille gauche et Gillian se retourna aussi vite que le lui permirent ses muscles raidis, même si elle savait très bien qu'elle ne verrait rien.

Elle avait reconnu ce timbre, qui lui semblait cependant nettement plus aimable, à présent.

– Vous êtes venu avec moi…

– *Eh oui,* susurra la voix toujours emplie d'amour. *Je n'allais tout de même pas te laisser errer dans le froid jusqu'à ce que tu gèles de nouveau. Allez, gamine, va par là.*

Longtemps, elle chancela, trébucha, tituba de troncs en branches renversées ; cela parut durer une éternité mais, chaque fois qu'elle se sentait gagnée par la lassitude, la voix murmurait à son oreille, la guidant, l'encourageant à faire un pas de plus.

Enfin, vint la délivrance :

– *Escalade cette crête et tu trouveras la route.*

Comme dans un rêve, elle escalada la crête et trouva effectivement la route de l'autre côté. Aux dernières lueurs du jour, celle-ci serpentait le long d'une colline.

Cependant, il restait à parcourir un long kilomètre à pied avant d'atteindre la maison, et Gillian se sentait incapable d'effectuer un pas de plus.

– *Ne t'inquiète pas*, dit gentiment la voix. *Regarde ce qui vient.*

Des phares descendaient dans sa direction.

– *Place-toi au milieu de la chaussée et fais-leur signe.*

Comme une poupée mécanique, elle s'avança sur le macadam, vite aveuglée par la lumière blanche qui approchait. Et qui, à sa plus grande joie, ralentissait.

– Gagné ! balbutia-t-elle, à peine consciente de parler tout fort. Ils s'arrêtent !

– *Évidemment ! Tu as fait du bon boulot. Ça va aller, maintenant.*

La voiture s'immobilisa devant elle et la portière du conducteur s'ouvrit ; apercevant une silhouette qui venait vers elle, Gillian ressentit un instant d'affolement :

– Hé ! Ne me laissez pas tomber ! Je ne sais même pas qui vous êtes...

Aussitôt, elle sentit revenir cette sensation d'amour et d'indulgence.

– *Appelle-moi Angel.*

Et la voix s'éteignit. À nouveau l'anxiété s'empara de Gillian.

– Qu'est-ce que vous fichez... Hé ! Ça va ?

Cette autre voix brisa son angoisse et elle s'efforça de distinguer son interlocuteur dans l'éblouissement des phares.

– Non, manifestement, ça ne va pas du tout, continuait celui-ci. Mais… c'est bien toi, Gillian ? Je te reconnais… on habite dans la même rue.

C'était David Blackburn.

Le choc qu'elle éprouva alors chassa de son esprit toutes les étranges hallucinations qui venaient de la saisir.

C'était vraiment David ; jamais elle ne l'avait vu d'aussi près.

Cheveux sombres, visage mince au teint encore légèrement bronzé. Magnifiques pommettes saillantes, regard profond. Et cette allure, ce sourire amical, un rien scrutateur…

Sauf que là, il ne souriait pas. Il semblait plutôt inquiet.

Incapable d'articuler un mot, Gillian se contentait de le dévisager à travers les mèches gelées qui lui retombaient devant les yeux.

– Qu'est-ce qui… ? On verra plus tard. Là, il faut te réchauffer.

Au lycée, on le considérait comme un dur, un rebelle. Pourtant, il venait de la prendre dans ses bras sans l'ombre d'une hésitation.

Gênée, elle ne savait plus comment réagir ; en même temps, elle éprouvait un étrange sentiment de sécurité. David paraissait tellement solide qu'elle lui fit instantanément confiance et put enfin se détendre.

– Tiens, mets ça… attention à ta tête… là, prends ça pour tes cheveux.

Il s'affairait sans se presser, sûr de lui, prévenant. Gillian se retrouva bientôt dans la voiture, enveloppée dans la veste tiède en peau de mouton qu'il venait d'ôter, les cheveux enroulés dans une vieille serviette. Il s'assit au volant, mit le chauffage à fond et repartit sur les chapeaux de roues.

Quel bonheur de pouvoir se laisser aller sans se dire qu'elle allait en mourir ! De ne plus se sentir envahie par le froid même si l'air chaud ne la dégelait pas. L'habitacle beige de la Mustang lui avait des airs de paradis.

Et David… non, il n'avait pas l'air d'un ange, plutôt d'un chevalier sans peur et sans reproche.

Gillian se sentait gagnée par le sommeil.

– J'ai piqué une tête, murmura-t-elle en grelottant.

– Pardon ?

– Tu m'as demandé ce qui s'était passé. J'avais un peu chaud, alors j'ai plongé dans le torrent.

Il éclata de rire.

– Quel courage ! Non, franchement, qu'est-ce qui t'est arrivé ?

Il me trouve courageuse. Gillian sentit soudain ses joues la brûler. Pas seulement de chaleur...

– J'ai glissé, expliqua-t-elle. J'étais dans les bois et, arrivée au bord du torrent...

Soudain, elle se rappela pourquoi elle s'était enfoncée dans ces bois. Elle avait oublié le gémissement plaintif de l'enfant.

– Oh, mon Dieu ! s'exclama-t-elle en se redressant. Arrête-toi !

4

David ne ralentit même pas.

— On est presque arrivés.

Ils approchaient du croisement de Meadowcroft
Road. Gillian voulut saisir la main posée sur le
volant mais s'aperçut alors que ses propres doigts ne
bougeaient pas plus que des morceaux de bois.

— Il faut t'arrêter ! insista-t-elle. Il y a un enfant
perdu dans ce bois. C'est pour ça que j'y suis entrée ;
j'avais entendu comme des pleurs. Ça venait de
quelque part vers le torrent. Il faut qu'on y retourne.
Arrête-toi !

— Hé ! On se calme. Tu as dû entendre un hibou.
Il y en a plein par là, et leur cri ressemble à des pleurs
d'enfant.

— Ça m'étonnerait. Je rentrais à pied du lycée, il
ne faisait pas encore assez nuit pour un hibou.

— Alors c'était une tourterelle triste ; on l'appelle
comme ça justement à cause de son cri plaintif. Ou

alors un chat. Parfois, on jurerait des vagissements de bébé.

La voyant prête à répliquer, il ajouta brutalement :

– Écoute, une fois chez toi, on pourra toujours appeler la police de Houghton, ils iront voir. Mais je ne veux pas laisser une peti… une fille se geler parce qu'elle a plus de tripes que de jugeote.

Un court instant, elle eut envie de lui laisser croire qu'elle possédait de telles qualités.

– Ce n'est pas ça, répondit-elle pourtant. Mais je l'ai tellement cherché, j'ai tellement pris de risques pour lui. J'ai failli en mourir ! Je suis même vraiment morte, enfin de froid, et ça m'a permis de comprendre l'importance de la vie…

Elle se tut, essoufflée. Que racontait-elle là ? Il allait la prendre pour une malade. De toute façon, tout cela n'avait dû être qu'un rêve. Comment croire autre chose, maintenant qu'elle se retrouvait dans une Mustang bien chaude, la tête enveloppée dans une serviette ?

D'un seul coup, David parut comprendre :

– Tu as failli mourir ? répéta-t-il en obliquant dans leur rue, Hazel Street. Ça m'est arrivé, à moi aussi, quand j'étais petit. Il a fallu m'opérer…

Il s'interrompit pour redresser la Mustang qui dérapait sur une plaque de glace puis s'engagea dans l'allée menant à la maison de Gillian.

Ça t'est arrivé à toi aussi ?

Déjà il se garait et sortait avant qu'elle n'ait eu le temps de formuler sa surprise.

Il contourna l'avant et vint ouvrir sa portière.

— Dégage-toi un peu le visage, observa-t-il en écartant ses mèches de son front comme si c'étaient des toiles d'araignées.

Pourtant, elle crut deviner qu'il aimait bien ses cheveux ainsi.

Il la dévisageait d'un air abasourdi, ce qui détonnait plutôt avec ses yeux sombres d'oiseau de proie, comme s'il découvrait en elle un aspect qui le troublait.

Finalement, il n'est pas aussi dur qu'il voudrait bien le laisser croire, songea-t-elle. Il n'est pas tellement différent de moi, il…

Soudain, elle se mit à trembler de tous ses membres.

— Il faut vite rentrer au chaud, murmura-t-il en secouant la tête.

Elle se retrouva dans ses bras, emportée en vitesse sur le chemin qui menait à la maison.

— Tu ne devrais pas te rendre à pied au lycée en hiver, décréta-t-il. Maintenant, tu viendras avec moi en voiture.

Elle en resta sans voix. D'un côté, elle aurait pu lui répondre qu'elle ne rentrait pas toujours par ses propres moyens, d'un autre côté, de tout son cœur, elle n'aspirait qu'à accepter sa proposition.

Cette perspective et la sensation inédite de se retrouver dans ses bras lui firent oublier sa mère, et ce ne fut que devant la porte d'entrée qu'elle s'en souvint.

Alors ce fut la panique.

Oh non ! Je ne veux pas que David la voie... Enfin, peut-être que ça ira quand même...

Si cela sentait la cuisine, ce serait bon signe. Sinon, c'était qu'elle traversait un de ses mauvais jours...

En faisant pénétrer David dans l'entrée obscure, Gillian put constater qu'aucune odeur ne régnait dans la maison, que toutes les lumières étaient éteintes. Pas un bruit, rien ne bougeait. Il fallait le faire partir au plus vite.

Mais comment ? Il ne l'avait pas posée à terre et, déjà, demandait :

— Tes parents ne sont pas là ?

— On dirait que non. En général, papa ne rentre pas avant sept heures.

Ce qui n'était pas tout à fait faux. Gillian espérait seulement que sa mère reste bouclée dans sa chambre jusqu'au départ de David.

— Ça va aller, s'empressa-t-elle d'ajouter. Je peux me débrouiller seule, maintenant.

– Arrête tes… bêtises.

Trop mignon ! Il n'ose pas jurer devant moi.

– Il faut vite te réchauffer. Où est la douche ?

Elle tendit machinalement un doigt vers une porte, avant de se raviser :

– Non, attends…

Il était déjà sur les lieux. Il la déposa devant la salle de bains puis entra seul pour faire couler l'eau.

Gillian jeta un coup d'œil angoissé vers l'escalier. *Surtout ne bouge pas, maman ! Dors.*

– Tu dois rester dans ce bain chaud au moins vingt minutes, annonça David en sortant. Ensuite, on verra si on t'emmène à l'hôpital de Houghton ou pas.

Ce qui rappela quelque chose à Gillian :

– La police…

– C'est vrai. Je vais les avertir. Dès que tu seras dans la baignoire. Tu arriveras à te déshabiller ou tu as les doigts trop engourdis ?

– Euh…

Elle savait qu'elle n'arriverait jamais à se déboutonner mais il n'était pas question de le laisser s'en charger, pas plus que de demander de l'aide à sa mère.

– Laisse-moi faire, dit-il. Je ferme les yeux.

Il tendit les mains mais elle serra fermement les coudes contre ses côtes.

– Non !

Ils restèrent là, indécis l'un et l'autre, sans plus savoir que faire, lorsqu'une voix retentit dans l'entrée :

– Qu'est-ce que vous fichez ?

Penchant la tête, Gillian aperçut Tanya Jun, la copine de David.

Elle portait une casquette de velours sur ses cheveux noirs et un pull brodé de fils métalliques aux couleurs de Noël. Avec ses yeux gris en amande et sa bouche charnue sur de belles dents blanches, elle avait tout de la future cadre d'entreprise.

– J'ai vu ta voiture garée devant la maison, expliqua-t-elle à David, et la porte d'entrée était ouverte.

Elle semblait plus étonnée que soupçonneuse, comme si elle estimait que David avait perdu la tête. Celui-ci considéra les deux filles l'une après l'autre tout en cherchant une explication plausible.

– J'ai trouvé Gillian sur Hillcrest Road. Elle était… tiens, regarde, elle est tombée dans le torrent, elle est encore toute glacée.

– Je vois, observa Tanya. Ça n'a pas l'air trop grave. Va donc lui préparer un chocolat chaud, ou du thé ou quelque chose avec du sucre, pendant que je vais l'aider ici.

– N'oublie pas la police ! cria Gillian derrière lui.

Ce qui lui évita de croiser le regard de Tanya.

Elle était en terminale au lycée Rachel-Carson avec David, et Gillian la redoutait, l'admirait, la haïssait… dans cet ordre.

– On y va ! ordonna Tanya.

Dans la salle de bains, elle lui ôta l'un après l'autre ses vêtements gelés qu'elle jeta ensuite dans le lavabo. Elle avait des gestes brusques, efficaces, et Gillian croyait presque voir jaillir des étincelles entre ses doigts.

Cependant, elle avait beaucoup de mal à se laisser ainsi déshabiller par une femme aux manières de gardienne de prison ; elle frissonnait tant qu'elle plongea sans regret dans la baignoire dès qu'elle fut prête.

L'eau la brûla, manquant de lui arracher un cri, sans doute tout simplement parce qu'elle avait encore si froid. Respirant par le nez, fermant les yeux, Gillian parvint à s'y enfoncer jusqu'aux épaules.

– Très bien, lança Tanya derrière le rideau corail. Je vais monter te chercher des vêtements secs.

– Non !

Gillian faillit sortir en catastrophe. Ne pas la laisser monter dans sa chambre, à côté de celle de sa mère…

Mais la porte de la salle de bains se fermait déjà derrière Tanya. Ce n'était pas le genre de personne à se laisser freiner par un non.

Affolée, Gillian resta un instant immobile… jusqu'au moment où une atroce sensation de brûlure lui envahit le corps.

Cela commença par les doigts de ses mains et de ses pieds, pour remonter peu à peu le long de ses membres qui reprenaient vie. Elle ne pouvait rien faire d'autre que subir cette intense douleur en essayant de respirer régulièrement.

Et puis cela commença à se calmer. Sa peau blême et fripée, marbrée de bleu foncé, virait maintenant au rouge. Les brûlures firent place à des picotements. Gillian pouvait à nouveau remuer. Et réfléchir.

Elle entendait aussi les voix qui s'interpellaient dans l'entrée. Celle de Tanya :

— Donne, je m'en occupe. Je vais le lui apporter dans une minute…

Et d'ajouter plus bas :

— Je ne suis pas sûre qu'elle soit capable de boire et de flotter en même temps.

— Lâche-la ! C'est juste une gosse.

— Ah oui ? Elle a quel âge, d'après toi ?

— Je n'en sais rien. Treize ans ?

Tanya éclata de rire.

– Quatorze ? Douze ?

– David, elle est au lycée, avec nous, en première.

– Ah, oui ? lâcha-t-il, sincèrement surpris. Non, je suis sûr qu'elle est encore au collège.

Gillian considérait la douche d'un œil absent.

– Elle suit les mêmes cours de biologie que nous ! insista Tanya d'un ton exaspéré. Elle s'assoit au fond et n'ouvre jamais la bouche. Mais je vois pourquoi tu la croyais plus jeune. Elle a plein de peluches dans sa chambre et un papier mural à petites fleurs. Et regarde-moi ce pyjama avec ces nounours !

Gillian se sentait maintenant brûlante de partout. Tanya critiquait sa chambre, la même depuis ses dix ans car il n'y avait pas d'argent pour changer les rideaux et pas de place dans le garage pour y ranger ses chères peluches. Et elle se moquait de son pyjama. Devant David.

Quant à lui... il la prenait pour une petite fille. Voilà pourquoi il avait proposé de l'emmener à l'école. Il croyait qu'elle fréquentait encore la partie collège ; il avait juste pitié d'elle.

Les yeux pleins de larmes, elle tremblait de tous ses membres, brûlant de colère, de chagrin et d'humiliation...

Pan !

On aurait dit une détonation, en plus aigu ; quelque

chose entre un craquement et un crissement. Gillian sursauta comme si elle avait été touchée, demeura un instant immobile puis entrouvrit le rideau humide pour risquer un œil.

À cet instant, la porte s'ouvrit :

– C'était quoi, ça ? demanda Tanya.

Gillian secoua la tête sans répondre. Elle avait trop peur de cette fille pour l'envoyer promener.

Celle-ci inspectait les lieux et ses yeux se figèrent à hauteur de la glace. Elle s'approcha du lavabo, essuya le miroir d'une main… et poussa un couinement.

– Aïe !

Gillian vit alors qu'elle saignait.

– Qu'est-ce que… ? interrogea Tanya en prenant une serviette.

Elle essuya de nouveau la glace, recula.

De la baignoire, Gillian regardait aussi.

La surface en était brisée, ou plutôt, lézardée ; non pas comme si on avait frappé dessus car il n'y avait aucun point d'impact d'où auraient démarré toutes les striures.

Non, cela partait régulièrement du haut vers le bas, d'un côté à l'autre ; chaque centimètre carré était parcouru d'un réseau de lignes fines qui faisaient plutôt songer à du givre.

– David, viens voir ! lança Tanya sans plus tenir compte de Gillian.

L'instant d'après, la porte s'écarta sur la tête du garçon qui se refléta dans le miroir.

– Regarde ça ! Tu y crois ?

Il eut une moue dubitative.

– La chaleur ? Le froid ? Je ne sais pas.

Il jeta un regard hésitant en direction de Gillian, juste le temps de repérer sa tête au milieu du rideau corail.

– Ça va ? demanda-t-il en se retournant vers un porte-serviettes.

La gorge trop serrée par les larmes, elle était incapable de répondre, mais, comme Tanya l'interrogeait du regard, elle hocha la tête.

– C'est bon, oublie. On va t'aider à te rhabiller.

David en profita pour s'éclipser.

– Regarde si ses doigts fonctionnent bien, conseilla-t-il de loin.

– Je vais très bien, assura Gillian en agitant les mains.

Elle n'avait plus qu'une envie, les voir s'en aller au plus vite.

– Je peux m'habiller toute seule.

Surtout ne pas pleurer devant elle.

Elle referma le rideau, fit couler l'eau pour faire du bruit.

– Vous pouvez y aller, maintenant.

Un bref soupir de Tanya laissa entendre qu'elle la trouvait bien ingrate.

– Bon, tes habits et ton chocolat sont là. Tu veux que j'appelle quelqu'un pour toi ?

– Non ! Mes parents… mon père arrive d'une minute à l'autre. Ça va.

Gillian ferma les yeux, compta en retenant sa respiration.

Enfin, elle perçut divers bruits indiquant que Tanya s'en allait. Sa voix et celle de David lancèrent des « au revoir » et puis ce fut le silence.

Gillian se redressa lentement, manqua de tomber en sortant de la baignoire, s'essuya sans hâte, enfila son pyjama et sortit de la salle de bains avec des mouvements de petite vieille. Elle ne jeta pas un regard vers le miroir brisé.

Elle s'efforça de grimper l'escalier et, à l'instant où elle atteignait sa chambre, la porte du fond s'entrouvrit.

Sa mère apparut, enveloppée d'un long manteau, ses pantoufles doublées de mouton aux pieds. Ses cheveux blonds, plus foncés que ceux de Gillian, n'étaient pas coiffés.

– Qu'est-ce qui se passe ? demanda-t-elle d'une voix pâteuse. J'ai entendu du bruit. Où est ton père ?

– Il n'est pas encore sept heures, maman. Je suis rentrée toute trempée. Je vais me coucher.

Le maximum d'informations en un minimum de phrases.

Sa mère se rembrunit :

– Ma chérie…

– Bonne nuit, maman…

Gillian s'empressa de s'enfermer avant que les questions ne fusent.

Elle se laissa tomber sur son lit, se blottit contre ses peluches si tièdes, si rassurantes… Maintenant, elle allait pouvoir pleurer, se laisser submerger par les plaies de son âme et sangloter, sangloter sur la tête veloutée de son nounours préféré.

Si seulement elle était restée là-bas, dans cette prairie trop verte, même si ce n'était qu'un rêve. Elle aurait voulu que tout le monde la pleure parce qu'elle était morte.

Elle qui avait cru en l'importance de la vie, alors que ce n'était jamais qu'un énorme canular. Elle ne pouvait se métamorphoser. On ne recommençait pas, inutile d'espérer.

D'ailleurs je m'en fiche. Je voudrais mourir. Pourquoi fallait-il que je vienne au monde si c'était pour en arriver là ? Il doit bien exister un endroit où j'aie ma place, un rôle à jouer. Parce que je n'appartiens pas à ce monde, à cette vie. S'il n'y a rien d'autre ici pour moi, je préfère mourir, rêver à autre chose.

Elle pleura jusqu'à ce que l'épuisement l'emporte inconsciemment dans le sommeil.

Lorsqu'elle se réveilla, quelques heures plus tard, une étrange lumière régnait dans sa chambre.

5

En fait, elle fut plutôt frappée par l'impression d'une… présence.

Ce n'était pas la première fois que cela lui arrivait, comme si quelque chose disparaissait à l'instant même où elle ouvrait les yeux. Comme si, durant son sommeil, elle avait été sur le point de faire une découverte essentielle pour le monde et que cela lui avait échappé en s'éveillant.

Cette nuit, en revanche, l'impression subsistait. Alors qu'elle contemplait la pièce, encore éblouie, étourdie, paralysée, elle se rendit compte que cette lumière ne correspondait à rien.

Elle avait oublié de fermer les rideaux, et le clair de lune inondait sa chambre de sa transparence bleutée reflétée par la neige fraîche. Cependant, dans un coin de la chambre, la commode italienne aux tiroirs dorés semblait concentrer sur elle une lueur coalescente, comme reflétée par un miroir.

Sauf qu'il n'y avait aucun miroir à cet endroit.

Gillian s'assit lentement et prit une longue inspiration, le temps de comprendre ce qui se passait là.

On aurait dit... une colonne de brume et de lumière qui, au lieu de s'estomper à mesure que Gillian se réveillait, devenait de plus en plus brillante.

La gorge serrée, elle s'émerveillait... croyait la reconnaître. Cela lui rappelait le tunnel, la prairie et...

Oh !

Maintenant, elle savait.

Vivant, on ne voyait pas les choses de la même façon. Sur le moment, elle avait admis les faits les plus bizarres, comme dans un rêve, sans laisser intervenir la logique ou l'incrédulité. Mais, maintenant, alors que l'éclat de l'apparition devenait presque aveuglant, Gillian sentait des fourmillements lui agacer la peau, des larmes lui brûler les yeux. Elle pouvait à peine respirer. Elle ne savait que faire.

Comment accueillir un ange dans la vie de tous les jours ?

La lumière ne cessait de grandir, comme dans la prairie ; une silhouette s'en détacha soudain, qui venait à grands pas, mais la violence de la lumière devenait si forte que Gillian dut fermer les paupières et vit alors y danser d'écarlates images rémanentes qui se pourchassaient comme des étoiles filantes.

Quand elle se risqua à rouvrir les yeux, il était là.

De nouveau, elle en fut saisie à la gorge. Il était si beau que c'en était effrayant. Visage blême, aux traits encore illuminés par l'éclat de son halo, des fils d'or pour cheveux, de larges épaules, un corps long et gracieux, si pur, si fier, si différent des humains, encore plus différent que dans la prairie. Dans le décor banal de la chambre de Gillian, il rayonnait comme un soleil.

Instinctivement, Gillian sortit de son lit pour s'agenouiller au sol.

– Arrête ! lança une voix argentine.

Qui, brusquement, se métamorphosa en un timbre nettement plus humain :

– Là, ça va mieux comme ça ?

Les yeux fixés sur une épingle qui traînait sur le tapis, Gillian vit qu'elle scintillait un peu moins. Alors elle risqua un regard sur l'ange, qui lui parut un petit peu plus normal. Juste comme un garçon d'une beauté renversante.

– Je ne voulais pas te faire peur, dit-il en souriant.

Pour toute réponse, elle ne put qu'émettre un faible « ouais ».

– Tu as peur ? reprit-il.

– Ouais...

Il eut un geste ample et agaçant :

– Si tu veux, on peut reprendre le baratin habituel : n'aie pas peur, je ne te ferai pas de mal, et tout ça... Mais ce serait une perte de temps, non ? Allez, gamine, tout à l'heure, tu étais morte, alors ça, à côté...

– Ouais.

– Respire un bon coup, lève-toi...

– Ouais.

– Et change de disque.

Gillian se leva, prit place au bord du lit. Il avait raison, elle avait connu bien pire que ça. Elle n'avait donc pas rêvé. Elle était bel et bien morte, les anges existaient et il y en avait un dans sa chambre en ce moment, venu lui annoncer...

– Qu'est-ce que vous vouliez me dire ? demanda-t-elle.

Il émit un bruit qu'elle aurait bien pris pour un grognement si elle n'avait eu affaire à un ange.

– Tu croyais que je t'avais laissée tomber ? dit-il d'un ton de reproche. D'après toi, qui t'a aidée à sortir de ce torrent gelé sans même en passer par l'hôpital ? Tu étais en hypothermie profonde, tu sais. Encore un peu et c'était l'œdème pulmonaire, la fibrillation ventriculaire, la perte de tes extrémités...

Ce disant, il désignait ses mains et ses orteils. Alors seulement, Gillian se rendit compte qu'il lévitait à quelques centimètres du sol.

– Ça allait très mal, gamine. Pourtant, tu t'en es sortie sans une engelure.

Gillian considéra ses propres doigts, bien roses, encore un peu sensibles mais intacts.

– Vous m'avez sauvée.

Il lui décocha un sourire gêné.

– C'est mon boulot.

– D'aider les gens ?

– De t'aider.

Tout d'un coup, elle se prit à espérer. Il ne l'avait jamais quittée. Il la protégeait... Et si...

Non, ça pourrait paraître tellement bête, tellement déplacé...

– Bon, je ne sais pas trop comment le dire, pourtant c'est la vérité. Tu sais que presque tout le monde y croit ? D'après une enquête récente, « la plupart des gens sont persuadés qu'une sorte d'esprit veille sur eux ». Qu'on nous appelle guides spirituels ou *aumakua*, comme les Hawaïens...

– Vous êtes un ange gardien, souffla Gillian.

– Oui. Ton ange gardien. Et je suis là pour t'aider à formuler les désirs de ton cœur.

– Je...

Elle n'arrivait pas à y croire. Elle n'en méritait pas tant. Qu'avait-elle fait de si extraordinaire pour bénéficier soudain d'une telle grâce ?

C'est alors qu'une autre réalité se fit jour en elle, beaucoup moins réjouissante. En fait, elle était une personne tellement ordinaire que les désirs de son cœur risquaient plutôt de décevoir un ange.

– Écoutez, déglutit-elle, j'ai bien peur que...

– Hé ! coupa-t-il en traçant une sorte d'auréole au-dessus de sa tête. Tu iras au bal, Cendrillon.

– Vous vous prenez pour ma marraine fée ?

– C'est ça, mais évite quand même de ricaner. Je sais bien que tu rêves avant tout de voir David Blackburn tomber amoureux fou de toi et toute l'école te prendre pour une star.

Elle se sentit rougir jusqu'à la racine des cheveux, et les battements de son cœur s'alourdirent même si la joie eut vite fait de surmonter son embarras. C'était extraordinaire d'entendre prononcer de tels rêves à voix haute.

– Et vous pourriez m'aider ? balbutia-t-elle.

– Ça t'étonne ?

– Mais vous êtes un ange !

– Tu n'as pas fini de t'étonner, petite libellule...

Au bord des larmes, elle partit d'un rire nerveux.

– Cela dit, ajouta l'ange, tu dois te douter qu'il y a un prix à payer.

Soudain sérieux, il la fixait de son regard mauve comme la base d'une flamme.

Gillian déglutit encore.

– Lequel ?

– Il faudra me faire confiance.

– C'est tout ?

– Ce ne sera pas toujours facile.

– Vous savez, s'esclaffa-t-elle en se redressant, après tout ce que j'ai vu... Et puis, maintenant que vous m'avez sauvé la vie et les doigts, j'aurais du mal à ne pas vous faire confiance.

– Bon, alors prouve-le-moi.

– Pardon ?

Elle en venait à trouver presque normal de discuter avec cet être magique.

– Prouve-le-moi. Prends des ciseaux.

– Des... quoi ? Je ne sais même pas où il y en a.

– Dans le tiroir de gauche du placard de la cuisine, avec les couverts.

Il souriait comme la grand-mère du Petit Chaperon rouge.

Gillian n'avait pas peur. Pas question d'avoir peur.

– Si vous voulez…

Elle descendit les chercher, suivie de l'ange qui flottait derrière elle. Au pied des marches dormaient deux chats abyssins blottis l'un contre l'autre façon yin-yang. Gillian en effleura un doucement du pied et il ouvrit des yeux engourdis.

Soudain, ce fut comme si la foudre leur tombait dessus. Les deux chats s'enfuirent en même temps, feulant, se bousculant et dérapant sur le parquet. Gillian n'en revenait pas.

– Comme l'âne de Balaam, décréta l'ange.

– Je vous demande pardon ? interrogea-t-elle vaguement vexée.

– Les animaux nous voient.

– Mais ils avaient peur ! Jamais je ne les avais vus se hérisser à ce point.

– Ils n'ont pas dû comprendre qui j'étais. Ça arrive parfois. Alors, ces ciseaux…

Elle chercha un instant les chats du regard puis obéit.

– Et maintenant ? s'enquit-elle en remontant à l'étage.

– On va dans la salle de bains.

Elle obtempéra, alluma, passa la langue sur ses lèvres sèches.

– Et maintenant ? répéta-t-elle d'un air faussement ragaillardi. Je me coupe un doigt ?

– Non, juste les cheveux.

Dans la glace, elle se vit rester bouche bée. En revanche, elle n'apercevait pas le reflet de l'ange, aussi se retourna-t-elle.

– Me couper les cheveux ?

– Tu te caches beaucoup trop derrière. Tu dois montrer au monde que c'est fini.

– Mais…

Elle leva les mains comme pour se défendre, n'aperçut bientôt plus que ses yeux violets qui brillaient derrière un rideau de mèches blondes.

Bon, il avait peut-être raison. De là à se promener toute nue…

– Tu as dit que tu me faisais confiance, insista l'ange.

Il la dévisageait d'un air sévère, si impressionnant qu'elle en eut presque peur, avec une telle froideur qu'il semblait prêt à s'éloigner d'elle.

– C'est le moment de le prouver, reprit-il. C'est comme si tu avais fait un vœu ; à partir du moment où tu auras rempli ta part, tu auras le courage de faire le nécessaire pour répondre aux aspirations de ton cœur. Cela dit, si tu recules, si tu préfères que je m'en aille…

– Non !

Après tout, il avait raison et, si elle ne comprenait pas tout ce qu'il disait, c'était le moment de lui prouver sa confiance.

Je peux bien faire ça.

Pour prouver son engagement, elle s'empara des ciseaux, coinça ses cheveux derrière ses oreilles, dirigea les lames dessus.

– Bon, dit l'ange en riant. Vas-y un bon coup mais pas tout à la fois non plus.

Il avait repris son ton amical, taquin, protecteur. Retenant son souffle, un sourire incertain aux lèvres, Gillian se lança dans cette terrible tâche. Les mèches blondes tombèrent, une à une, et quand elle eut fini, elle ne portait plus qu'un casque soyeux, terriblement court, digne d'une pub de Calvin Klein. Elle allait pouvoir défier la star du lycée, J. Z. Oberlin.

– Regarde-toi, ordonna l'ange alors qu'elle ne faisait déjà que ça. Qu'est-ce que tu vois ?

– Une fille affreusement mal coiffée ?

– Faux. Tu vois une personne courageuse et sûre d'elle, unique, individualiste. Et, qui plus est, superbe.

– C'est bon...

Mais il avait raison. Cette coupe garçonne lui soulignait les pommettes et la distinguait de tout le monde. Et puis il semblait que ses joues avaient pris des couleurs.

— Il va falloir égaliser tout ça maintenant, observa-t-elle.

— On verra ça demain. L'important, c'était que tu franchisses ce cap. Je te conseille maintenant d'apprendre à ne plus rougir comme ça. Une fille aussi belle que toi devrait avoir l'habitude des compliments.

— Vous êtes un drôle d'ange, vous savez.

— Je t'ai dit que c'était mon boulot. Maintenant, on va inspecter le contenu de ton placard.

Une heure plus tard, Gillian avait regagné son lit, fatiguée, étourdie, follement heureuse.

— Dors bien, lui souffla l'ange. Demain, c'est un jour important pour toi.

— Attendez. J'ai oublié de vous demander plusieurs trucs.

— Vas-y.

— Quand j'ai entendu pleurer dans les bois... c'était un enfant ? Il va bien ?

L'ange ne répondit pas tout de suite, comme s'il hésitait.

— C'est top secret, laissa-t-il finalement tomber. Mais ne t'inquiète pas. C'est fini.

Elle sut qu'elle n'en tirerait pas davantage et se résigna :

— Bon… Au fait, je ne sais toujours pas comment il faut vous appeler.

— Je te l'ai dit : Angel. Et on se dit « tu ».

Elle sourit dans un bâillement.

— D'accord, Angel. Attendez… attends, une dernière chose…

Le sommeil l'engourdissait tellement quelle n'arrivait plus à formuler sa question, ni même à rassembler ses idées. Cela avait quelque chose à voir avec Tanya. Tanya et du sang… Bon, ce serait pour plus tard.

— Je voulais te dire… Merci.

— Tu as tout le temps pour me dire ça, gamine. Je ne suis pas encore parti. Je serai là demain à ton réveil.

Gillian se sentait bien, à l'abri. Elle s'endormit en souriant.

Le lendemain matin, elle se leva tôt et passa un long moment dans la salle de bains. Elle descendit d'un pas léger en songeant à l'image qu'elle allait désormais renvoyer, ouvrit la porte de la cuisine.

Ses parents n'étaient pas là, bien que ce soit habituellement l'heure du petit déjeuner de son père. À la place, il y avait une fille brune, penchée sur un livre de maths.

– Amy !

Celle-ci leva la tête, cligna des paupières, resta un instant bouche bée, cligna de nouveau des paupières, bondit de sa chaise. Elle était un peu plus grande que Gillian. Elle s'avança d'un pas, l'air atterré.

Puis se mit à crier.

6

– **T**es cheveux ! Gillian, qu'est-ce que tu as fait à tes cheveux ?

Amy aussi portait une coiffure courte à l'arrière mais avec une lourde frange sur le front. Ses grands yeux d'un bleu limpide lui donnaient toujours l'air d'être au bord des larmes car elle était myope, ne supportait pas les lentilles de contact et refusait de porter des lunettes. Elle affichait en permanence une expression douce, plutôt anxieuse, et maintenant plus que jamais.

Gillian ne put s'empêcher de poser une main sur sa nuque dénudée.

– Tu n'aimes pas ?

– Je ne sais pas. Je… Tu n'as plus rien.

– Comme tu dis.

– Mais pourquoi ?

– Calme-toi, Amy.

Si tout le monde réagit comme ça, je suis fichue.

Gillian avait découvert qu'elle pouvait parler à Angel sans remuer les lèvres et qu'il répondait directement dans sa tête. C'était bien pratique.

— *Dis-lui que tu les as coupés parce qu'ils ont gelé.*

La voix d'Angel semblait résonner exactement comme lorsqu'il se tenait en face d'elle, douce, sarcastique ; comme s'il lui soufflait directement dans l'oreille gauche.

— J'ai dû les couper parce qu'ils avaient gelé, expliqua Gillian. Ils devenaient cassants.

Les grands yeux bleus d'Amy s'écarquillèrent d'horreur. Elle paraissait stupéfaite. Gillian poursuivit :

— Peu importe. C'est fait, c'est fait. Là, je les ai mis derrière les oreilles mais je crois qu'ils auraient besoin d'être égalisés. Tu pourrais m'aider ?

— Je vais essayer.

Gillian s'assit, resserra les pans du peignoir rose qu'elle portait par-dessus ses vêtements et tendit les ciseaux à son amie.

— Tu as un peigne ?

— Oui. Oh, Gillian, je voulais te dire, désolée pour hier. J'avais oublié… mais ce n'était pas vraiment ma faute… et dire que tu as failli mourir !

— Attends ! Qui t'a dit ça ?

— C'est le petit frère de Steffi Lockhart qui l'a dit à Eugene, et je crois que Steffi l'a su par David

Blackburn. C'est vrai qu'il t'a sauvée ? Je trouve ça d'un romantique...

– Ouais, si on veut...

– *Euh... qu'est-ce que je dis aux gens pour ça ? Et pour tout le reste ?*

– *La vérité. Jusqu'à un certain point. Évite juste de parler de moi et de ton expérience de mort imminente.*

– J'y ai réfléchi toute la soirée hier, reprit Amy, et je me suis rendu compte que je m'étais conduite comme une peste, cette semaine, sûrement pas comme une amie. Alors, je tiens à te dire que j'en suis désolée et que tout ça va changer. Je suis passée te prendre d'abord, ensuite on ira chercher Eugene.

– *Chouette !*

– *Sois gentille, ma puce. Elle fait de son mieux. Remercie-la.*

Maintenant qu'elle avait Angel, Gillian se moquait un peu de ce que pouvaient faire les autres. Cependant, elle la remercia.

Comme les ciseaux glacés passaient derrière ses oreilles, elle resta immobile.

– Tu es tellement gentille ! murmura Amy. Je croyais que tu serais furieuse, je m'en suis voulu horriblement en t'imaginant là-bas à risquer de mourir gelée pour sauver un petit enfant...

– On l'a retrouvé ? coupa Gillian.

– Hein ? Non, je ne crois pas. Personne n'en a parlé, hier, on n'a pas signalé d'enfant disparu.

– *Je te l'avais dit. Tu es contente, maintenant ?*

– *Oui, désolée.*

– Mais c'était quand même très courageux, reprit Amy. C'est aussi l'avis de ta maman.

– Elle est réveillée ?

– Elle est allée faire des courses, elle a dit qu'elle rentrait tout de suite.

Tenant les ciseaux droit dans la main, Amy recula pour regarder Gillian.

– Tu sais, je ne crois pas que tu devrais en faire plus…

Elle n'avait pas fini sa phrase que la porte d'entrée s'ouvrait sur un bruit de papier froissé. Bientôt la mère de Gillian apparut, les joues rouges de froid, les bras chargées de sacs.

– Bonjour les filles ! lança-t-elle.

D'un seul coup, elle s'interrompit, l'air sidéré devant la coiffure de Gillian.

– Ne laisse pas tomber tes sacs ! cria celle-ci d'un ton faussement désinvolte.

En fait, elle avait le cœur serré, la nuque raidie par l'appréhension.

– Tu aimes ?

– Je… je…

Sa mère déposa les sacs sur la table.

— Amy, il ne fallait pas tout couper.

— Ce n'est pas Amy, c'est moi qui ai fait ça cette nuit. J'en avais marre des cheveux longs...

— *Et qui n'arrêtaient pas de se mouiller et de geler.*

— Et qui n'arrêtaient pas de se mouiller et de geler. Alors je les ai coupés. Tu aimes ou pas ?

— Je ne sais pas. Ça te vieillit tellement. On dirait un mannequin.

Gillian se rengorgea.

— Bon, reprit sa mère. Maintenant que c'est fait... attends, je vais t'égaliser un peu les extrémités.

Elle prit les ciseaux des mains d'Amy.

— *Je vais finir complètement chauve !*

— *Mais non, gamine. Elle sait ce qu'elle fait.*

À son grand étonnement, Gillian se sentit rassurée par les gestes doux de sa mère, par son parfum de lavande, loin de tout relent d'alcool. Cela lui rappela sa petite enfance, quand sa mère enseignait à l'université et se levait tous les matins sans jamais apparaître échevelée, les yeux injectés de sang. C'était avant que n'éclatent les premières disputes, avant les séjours à l'hôpital.

Sa mère parut sentir son émoi car elle lui tapota l'épaule tout en coupant une petite mèche.

– J'ai apporté du pain frais. Je vais faire des toasts à la cannelle et au chocolat. Tu es sûre que ça va ? Tu as dû… avoir tellement froid hier soir… On peut appeler le Dr Kaczmarek si tu veux. Ça ne prendrait que quelques minutes.

– Non, je vais bien, je t'assure. Mais où est papa ? Il est déjà parti au travail ?

Après une pause, sa mère répondit calmement :

– Ton père est parti hier soir.

– Parti… parti ?

– *Ça s'est passé en fin de soirée, quand tu dormais.*

– *On dirait qu'il s'est passé beaucoup de choses en fin de soirée, pendant que je dormais.*

– *C'est la vie, ma puce. Elle continue même quand tu ne regardes pas.*

– Nous en reparlerons plus tard, continuait sa mère en lui tapotant encore l'épaule. Là, c'est parfait. Tu es magnifique, même si tu ne ressembles plus à ma petite fille. Habille-toi bien, parce qu'il fait très froid, ce matin.

– Je suis déjà habillée.

L'heure avait sonné et Gillian ne se préoccupait plus, maintenant, de choquer ou non sa mère. Son père était de nouveau parti. Même si c'était devenu de plus en plus fréquent, cela restait bouleversant ; au point de rompre le charme de cette matinée.

Elle n'avait plus aucune envie de toasts à la cannelle.

Elle s'avança au milieu de la cuisine et défit son peignoir rose.

Elle portait un pantalon noir à taille basse et un caraco noir surmonté d'une chemise également noire, restée ouverte, ainsi que des bottes noires à talons plats, une montre noire.

Amy et sa mère la dévisageaient.

Gillian resta droite, dans une attitude de défi.

– Mais, protesta faiblement sa mère, tu ne portes jamais de noir...

Elle avait effectivement eu du mal à trouver ces vêtements oubliés au fond de son placard. Le caraco venait de son arrière-grand-mère, Elspeth ; un cadeau de Noël qui remontait à deux ans et portait encore son étiquette.

– Tu n'aurais pas oublié un pull ? suggéra Amy.

– *Tiens bon, gamine. Tu es géniale.*

– Je n'ai rien oublié du tout. Je mettrai un manteau dehors, bien sûr. Alors, j'ai l'air de quoi ?

Amy déglutit.

– Euh... super. Très provocante. Ça fait un peu peur.

La mère de Gillian leva les bras, les laissa retomber.

– Je ne te reconnais pas.

– *Ouaaaiiiis !*

– *Ouais ! Parfait !*

Ravie, Gillian l'embrassa sur la joue.

– Allez, viens ! lança-t-elle ensuite. On ferait mieux de se dépêcher si on veut prendre Eugene.

Comme elle entraînait Amy dans son sillage, sa mère les suivit en leur rappelant le petit déjeuner.

– Donne-nous un truc à emporter. Où est ce vieux manteau que je ne mets jamais ? Le truc marrant que tu m'avais donné pour l'église ? Laisse, je l'ai trouvé !

Trois minutes plus tard, elle se retrouvait sur le perron avec Amy.

– Attends ! dit-elle alors.

Elle fouilla dans le cabas noir qu'elle avait pris à la place de son sac à dos, en sortit un poudrier et un tube de rouge à lèvres.

– J'ai failli oublier.

Elle mit le rouge à lèvres, bien rouge, pas rouge-orange ni rouge bleuté, mais rouge groseille, et brillant. Cela lui faisait des lèvres plus pulpeuses, presque boudeuses. Elle se regarda dans le miroir du poudrier, l'embrassa et rangea le tout.

Amy la considérait d'un air effaré.

– Gillian... qu'est-ce qui t'arrive ?

– Viens, on va être en retard.

– Avec ce rouge, tu as l'air… *hot*. Comme si tu cherchais à attirer l'attention des mecs…

– Parfait.

– Gillian ! Tu me fais peur. Il y a quelque chose… en toi, autour de toi… Enfin, je ne sais pas comment dire… Mais c'est nouveau et ce n'est pas terrible.

Elle semblait tellement choquée que, sur le moment, Gillian elle-même en fut impressionnée. Une onde de peur lui traversa l'estomac. Amy était du genre impressionnable, mais pas au point de raconter n'importe quoi. Et si…

– *Angel…*

Un Klaxon retentit.

Gillian pivota brusquement. En face de la maison, derrière la Chevrolet d'Amy, stationnait une ancienne mais encore fière Mustang. Une tête sortit de la portière avant.

– Tu me poses un lapin ? s'écria David Blackburn.

– Ce… c'est quoi, ça ? souffla Amy.

Gillian fit signe au garçon… après avoir reçu un coup de coude d'Angel.

– Ça s'appelle une voiture. J'avais oublié. Il avait promis de m'emmener au lycée. Je ne peux pas le laisser tomber. À plus !

Après tout, c'était David qui avait offert le premier de l'emmener ; en outre, Amy conduisait comme une malade et passait d'une file à l'autre car elle n'y voyait rien sans lunettes.

Quelque part, ce ne fut pourtant pas aussi gratifiant que Gillian l'aurait cru. Bien sûr, Amy l'avait laissée tomber pour un type, Eugene Elfred qui plus est. Mais en ce moment, Gillian avait trop peur pour plastronner.

Plus moyen de reculer, David allait la découvrir dans sa nouvelle peau. Les événements se déroulaient un peu trop vite à son goût.

– *Angel, et si je m'évanouis ? Et si je vomis ? Ça donnera une première impression d'enfer.*

– *Respire, gamine. Respire, respire. Pas si vite. Et souris.*

Elle ne put même pas s'arracher un rictus en ouvrant la porte de la voiture. D'un seul coup, elle se sentait vulnérable, sans défenses. Et si David la trouvait nulle ou carrément bouffonne ? Comme une fillette attifée des vêtements de sa mère.

Et ses cheveux ? D'un seul coup, elle se rappela comment David les avait caressés la veille. Et s'il n'aimait pas ?

La gorge serrée, elle se glissa sur le siège avant, et son manteau s'ouvrit.

D'abord incapable de regarder le conducteur, elle finit par s'y résoudre... et en resta le souffle coupé. Jamais elle n'avait vu une telle expression sur le visage d'un garçon dont les yeux étaient posés sur elle. Sur certaines autres filles, oui ; comme les stars de l'école genre Steffi Lockhart ou J. Z. Oberlin. Un regard surpris, la pomme d'Adam qui montait et retombait brusquement, les yeux ronds, l'air de dire « je suis à tes pieds, chérie, marche-moi dessus ». On en avait presque pitié d'eux.

Et voilà que les yeux de David reflétaient ce même trouble.

Aussitôt elle en oublia toute peur, ainsi que tout remords vis-à-vis d'Amy. Le cœur battant encore, au rythme de l'adrénaline qui coulait en elle, mais c'était maintenant d'émoi, d'impatience fiévreuse, comme si elle se lançait dans les premières montagnes russes de sa vie.

Effectivement, David dut se secouer avant de passer la vitesse pour repartir et, tout au long du chemin, il ne cessa de lui envoyer des regards en coin, comme pour s'assurer qu'il n'avait pas rêvé.

– Tu as changé de... et de...

Il eut un geste vague vers sa tête et Gillian ne put s'empêcher de remarquer sa belle main puissante, bronzée, aux longs doigts.

– Oui, je me suis coupé les cheveux.

Elle aurait voulu dire ça d'un ton résolu mais s'aperçut que sa voix tremblait et acheva sa phrase dans un petit rire, comme pour s'excuser.

– Je ne voulais plus paraître si jeune, acheva-t-elle.

– Ouille !

Il fit la grimace.

– Alors c'est à cause de moi ? Tu as entendu ce qu'on se racontait hier avec Tanya ?

– *Dis-lui que ça faisait un moment que tu y pensais.*

– Oui, mais ça faisait un moment que j'y pensais. Ce n'est rien.

Il ne paraissait pas d'accord avec cette dernière déclaration ; en même temps, il ne désapprouvait pas, il semblait plutôt émerveillé par sa découverte.

– Dire que je ne t'ai jamais remarquée à l'école, murmura-t-il comme pour lui-même. J'étais aveugle ou quoi ?

– Pardon ?

– Non, rien. Désolé.

Il demeura silencieux un moment et Gillian se mit à regarder devant elle, pour s'apercevoir soudain qu'ils étaient sur Hillcrest Road. Étrange comme le paysage semblait différent aujourd'hui. Hier, c'était un endroit désert, désolé, ce matin, la neige y paraissait douce et confortable comme un tas de coussins.

– Écoute, dit subitement David.

Il ralentit en secouant la tête et ce qu'il fit ensuite stupéfia Gillian. Il dirigea la voiture sur le bas-côté et s'arrêta.

– J'ai quelque chose à te dire.

Elle crut que les battements de son cœur lui envahissaient la gorge, les ongles et les oreilles ; elle avait l'impression que son corps n'était plus solide, qu'il n'était plus qu'une masse flottante de pulsations. Sa vision se brouilla. Elle… attendait.

Pourtant, ce que dit alors David était inattendu.

– Tu te rappelles, la première fois qu'on s'est rencontrés ?

– Je… oui.

Elle ne risquait pas de l'avoir oublié. Quatre années auparavant, elle avait douze ans et paraissait minuscule pour son âge. Allongée sur le dos devant sa maison, elle fabriquait des anges de neige en traçant les ailes avec ses bras. C'est alors qu'une branche au-dessus d'elle avait déversé sa trop grande charge de flocons et elle s'était retrouvée sous un amas de glace fondue d'où elle était sortie en crachant et en toussant.

À sa grande stupéfaction, on lui avait alors essuyé doucement le visage et la première chose qu'elle avait aperçue fut une main bronzée et un mince poignet. Et puis elle distingua un visage aux pommettes saillantes et aux yeux aussi sombres que malicieux.

– Je m'appelle David Blackburn. On vient d'emménager près d'ici. Fais attention à toi, petite princesse des neiges. La prochaine fois, je ne serai pas forcément là pour t'aider.

Elle avait cru que son cœur allait exploser dans sa poitrine et, alors qu'il lui caressait encore les cheveux, elle était tombée irrémédiablement amoureuse.

– À l'époque, expliqua-t-il, je me suis trompé. J'ai cru que tu étais beaucoup plus jeune que ça et… et beaucoup plus fragile qu'en réalité.

Après une pause, il ajouta d'un ton préoccupé, sans plus la regarder :

– Mais on dirait que je me suis trompé sur toute la ligne. Je m'en suis rendu compte hier.

Gillian comprenait. Ce n'était pas pour rien qu'il avait une réputation de dingue : il aimait les filles audacieuses, remuantes, extravagantes. S'il avait été chevalier, il se serait épris d'une femme chevalier, ou peut-être d'une voleuse de grand chemin, enfin de quelqu'un qui partage avec lui l'aventure, qui soit aussi dure que lui.

Certes, il aurait tendance à vouloir la protéger, comme tous les êtres sans défense, mais il ne s'amourachait pas des demoiselles en détresse.

– Et maintenant, continuait-il. Maintenant, tu es...

Il leva les mains dans un geste d'admiration. Il ne la regardait plus du tout.

Au septième ciel, Gillian se dit : *je suis cool.*

– Tu es absolument géniale. Et j'ai été trop nul de ne pas l'avoir remarqué avant.

Elle ne respirait plus. Il se passait quelque chose entre elle et David, une sorte d'électricité vibrante. L'atmosphère était tellement dense qu'elle en sentait la pression s'exercer partout sur elle. Jamais elle ne s'était sentie aussi vivante, en même temps, elle avait l'impression que le monde avait perdu toute consistance. Seuls David et elle étaient réels.

Et la voix dans sa tête semblait très lointaine.

– *Hé, ma puce, on a de la visite.*

Elle ne parvenait plus à bouger. Une voiture passa, fit un écart pour éviter la Mustang. Gillian ne distingua pas trop ce qui se passait derrière ses vitres embuées mais elle eut l'impression que des visages regardaient dans sa direction.

David ne parut rien remarquer du tout. Il gardait les yeux fixés sur le levier de changement de vitesse.

– Bon, lâcha-t-il d'une voix posée, tout ça pour te dire que je suis désolé si je t'ai vexée. En tout cas, je te vois, maintenant.

Il releva la tête. Soudain, elle comprit qu'il allait l'embrasser.

7

Gillian en éprouva un sentiment de triomphe, de joie sauvage et aussi quelque chose d'autre, de beaucoup plus profond. Une émotion qu'elle ne pourrait décrire en paroles ordinaires, comme si elle parvenait à lire dans ces yeux noirs, comme si elle pouvait voir en lui… les choses telles que celles-ci lui apparaissaient…

Il lui semblait en découvrir certaines, en reconnaître d'autres et s'apercevoir soudain que c'était Noël. Elle se sentait comme une enfant perdue dans un lieu inconnu, tremblante de froid et de peur et qui entendait soudain la voix de sa mère. Mais ce n'était pas exactement cela, c'était plus encore. Elle se sentait accueillie, bienvenue, curieusement chez elle…

C'était difficile à croire dans la mesure où cela ne lui était jamais arrivé. Elle n'avait jamais rien entendu de tel. Mais elle avait l'impression qu'en embrassant David elle comprendrait tout et que ce serait la révélation de sa vie.

Et voilà que cela se produisait, maintenant. Il s'approchait d'elle, sans se presser mais comme mû par un élan qu'il ne pouvait contrôler. Gillian ne put que baisser les yeux, mais elle ne recula pas, ne détourna pas la tête. Il était assez près, maintenant, pour qu'elle entende son souffle et le sente l'effleurer.

Elle attendait le doux contact de ses lèvres…

C'est alors que quelque chose retentit au fond de son esprit, un léger murmure, si lointain qu'elle le percevait à peine et qu'elle n'aurait su dire d'où il provenait.

Tanya.

Le choc la saisit comme si on venait de lui poser un glaçon à même la peau. Quelque part, elle aurait voulu l'ignorer, pourtant, elle s'écartait déjà, levant une main, se dérobant pour regarder vers la fenêtre.

Non par la fenêtre, beaucoup trop embuée pour laisser filtrer quoi que ce soit du dehors. Tous deux se trouvaient enfermés dans un cocon de blancheur.

— Je ne peux pas, murmura-t-elle. Pas comme ça. C'est… tu es déjà et tu n'as pas… Enfin, je veux dire… Tanya.

– Je sais.

Apparemment, David aussi venait de subir le coup du glaçon et il cillait, comme s'il se réveillait.

– Tu as raison, reprit-il. Je ne sais pas ce que je... En fait, j'avais oublié. Ça doit paraître complètement nul de dire ça. Si tu ne me crois pas...

– Je te crois.

Finalement, il semblait aussi désorienté qu'elle. Au moins ne la considérerait-il pas comme une débile profonde ; elle pouvait sauver la face.

– Ce n'est pas mon genre, assura-t-il encore. Même si les apparences sont contre moi en ce moment. Je ne suis pas comme Bruce Faber, à courir partout. J'ai fait une promesse à Tanya et...

Oh là là... songea Gillian affolée. *Angel, au secours !*

– *Je me demandais quand tu te souviendrais de moi.*

– *Il lui a fait une promesse !*

– *Ça fait un moment qu'ils sont ensemble.*

– *Je suis dégoûtée.*

– *Non, c'est un garçon remarquable. Dis-lui que tu veux arriver à l'heure pour tes cours.*

– *Je ne peux pas. Je suis perdue. Comment on va...*

– *Ne manque pas les cours.*

D'un ton morne, Gillian laissa tomber :

– Il faudrait y aller, là.

– Oui.

Après une courte hésitation, il enclencha la première.

Le trajet se poursuivit dans le silence et Gillian
eut l'impression de sombrer dans une dépression
totale. Elle qui avait cru que tout irait de soi, en douceur… Elle avait juste oublié Tanya. David ne pouvait la laisser tomber.

– *Ne t'en fais pas. J'ai la solution.*

– *Ah oui ? Laquelle ?*

– *Je te dirai ça le moment venu.*

– *Angel, tu ne m'en veux pas de t'avoir oublié ?*

– *Bien sûr que non. C'est mon boulot de t'aider et de
me faire oublier.*

– *Bon… parce que j'avais aussi oublié Tanya… Je
n'ai pas envie de faire du mal à quelqu'un.*

– *Je ne t'en veux pas, d'accord ? Remets-toi, tu es
arrivée.*

Cependant, Gillian ne put repousser l'idée qu'il
lui en voulait ou du moins qu'il s'étonnait de son
attitude, à croire qu'elle ne se comportait pas comme
prévu.

Mais elle n'avait pas le temps de s'y attarder. Il fallait sortir de la voiture de David, se reprendre et
affronter le lycée.

– Alors… à plus, lança-t-il quand elle ouvrit la portière.

– C'est ça.

Elle n'eut pas le courage d'en dire davantage et s'aperçut qu'il gardait les yeux fixés sur son volant.

En gagnant le lycée, elle remarqua que les têtes se tournaient sur son passage et cette sensation nouvelle lui donna quelques spasmes d'anxiété.

Et s'ils se fichaient d'elle ? S'ils la trouvaient naze avec une démarche de canard boiteux ?

Respire et marche, souffla Angel d'un ton amusé. *Respire… marche… la tête droite… respire…*

Elle traversa les corridors, grimpa l'escalier sans croiser un seul regard. La cloche sonnait quand elle entra dans la salle de cours, et c'est alors qu'elle prit conscience d'un petit problème. Son livre d'histoire et tous ses cahiers dérivaient quelque part vers la Virginie-Occidentale.

Non sans soulagement, elle repéra Amy et se dirigea vers le fond de la classe.

– Je peux suivre avec toi ? demanda-t-elle. Mon sac à dos est resté dans le torrent.

Elle craignait plus ou moins que son amie ne se montre vexée ou jalouse de s'être fait damer le pion par David, mais celle-ci manifesta plutôt une sorte d'éblouissement, comme si Gillian représentait une force naturelle, une tornade contre laquelle on ne pouvait que s'incliner.

— Bien sûr, dit-elle en lui faisant de la place. Vous en avez mis un temps, tous les deux ! Qu'est-ce que vous fabriquiez ?

Gillian fit mine de chercher un crayon dans son sac.

— Qui te dit qu'on n'a pas été retardés par Tanya ?

— Elle est arrivée avant vous, elle cherchait David !

Le cœur au bord des lèvres, Gillian fit mine de se passionner pour le cours d'histoire.

Néanmoins, elle s'aperçut peu à peu que nombre d'élèves la dévisageaient. Surtout des garçons. Avec une insistance à laquelle elle n'était pas du tout habituée.

Cependant, ils étaient tous en première et ne faisaient aucunement partie des stars du lycée. Cela changerait durant le cours suivant, en biologie. Là, il y aurait cinq ou six des élèves les plus populaires de l'établissement. Dont David… et Tanya.

Dans un brusque frisson, Gillian réalisa qu'au fond elle s'en fichait. Qu'en avait-elle à faire si les autres estimaient qu'elle ne pouvait avoir David ? D'une façon ou d'une autre, cette situation allait évoluer… elle n'avait qu'à garder son calme et jouer son rôle.

À la sonnerie, elle planta là Amy pour courir s'enfermer dans les toilettes, histoire de se retrouver un peu seule pour faire le point.

Remets-toi du rouge à lèvres, il est à moitié parti. Angel paraissait aussi surpris que n'importe quel humain.

Elle opéra la retouche, se passa un coup de peigne. Son reflet dans la glace la rassurait quelque peu. Ce n'était pas du tout Gillian qu'elle voyait là mais une femme fatale, mince, éthérée, aux cheveux blond platine, aux yeux violets et charbonneux qui lui donnaient un air mystérieux, à la bouche charnue digne d'une pub pour rouge à lèvres. Sa peau claire, presque transparente, contrastait avec sa tenue noire.

— *Elle est belle... je suis belle, Angel. Mais il me manque... je ne sais pas... un look, une expression à opposer aux gens quand ils me regardent. Genre blasée, ou morte de rire ou réservée ou complètement à l'ouest, ou quoi ?*

— *Et absente, ça te dirait ? Comme si tu vivais dans ton monde à toi, ce qui correspond d'ailleurs à la vérité, non ?*

L'idée plaisait à Gillian. Absente, absorbée dans ses pensées, à l'écoute de la musique des sphères... ou de la voix d'Angel. Elle s'y voyait bien. Elle prit son sac de toile en bandoulière et se dirigea vers son casier.

— Hé ! Où vas-tu ?

— Chercher mon bouquin de bio. Celui-là, je l'ai gardé.

— Sûrement pas.

Sans se départir de son air absent, elle traversa le corridor non sans remarquer les têtes qui se tournaient sur son passage.

— Si.

— Non. Pour des raisons indépendantes de ta volonté, tu as perdu ton manuel de biologie et toutes tes notes. Tu vas devoir t'asseoir à côté de quelqu'un d'autre pour partager son livre.

Gillian cligna des paupières.

— Ah oui ! Tu as raison. J'ai perdu mon manuel de biologie.

L'entrée du labo avait quelque chose du seuil de l'enfer et Gillian eut beaucoup de mal à conserver son air absent devant les paisibles murmures d'une classe avant la sonnerie.

— C'est bon, gamine. Maintenant va voir le prof pour lui dire que tu as besoin d'un nouveau livre. Il se chargera du reste.

Suivant les instructions d'Angel, elle alla trouver M. Leveret afin de lui raconter sa mésaventure et prit soudain conscience du calme subit qui régnait dans la salle, derrière elle. Elle n'éleva pas la voix pour autant, ne se tourna pas mais, quand elle eut fini son récit, l'expression de son interlocuteur était passée d'un « à qui ai-je affaire ? » (il avait dû vérifier son nom sur le registre) à une aimable compassion.

– J'ai un manuel supplémentaire, annonça-t-il alors. Et je pourrai vous fournir quelques-uns des textes de mes cours, en revanche pour ce qui est des notes...

Il s'adressa aux autres élèves :

– Très bien, Gillian aurait besoin d'un coup de main. Quelqu'un voudrait-il lui prêter ses notes ou les lui photocopier...

Il n'avait pas achevé sa phrase que des mains s'élevaient à travers la classe. Tout le monde la regardait, chose qui, en soi, l'aurait terrifiée quelques jours auparavant. D'autant que, dans l'assistance, se tenaient David, à l'expression impénétrable, et Tanya, l'air rigide et furieuse, ainsi que d'autres gens qui, jusque-là, ne l'avaient jamais vraiment regardée et qui, maintenant, manifestaient leur enthousiasme.

Que des garçons.

Elle reconnut Bruce Faber, qu'elle surnommait à part elle « Bruce l'Athlète », avec ses cheveux blond foncé et sa stature de rugbyman. En général, il avait l'air de se pavaner en attendant les applaudissements de la foule mais là, on aurait plutôt dit qu'il invitait Gillian à le rejoindre.

Et Macon Kingsley, qu'elle appelait « Macon le Friqué ». Les cheveux bruns toujours impeccables, les paupières tombantes, il arborait souvent une moue cruelle. Avec sa Rolex et sa voiture de sport, en ce moment, il semblait prêt à miser une fortune sur Gillian.

Et Cory Zablinski le Fêtard, toujours partant pour organiser des soirées ou en revenir... Le corps sec, l'allure nerveuse, il était roux avec des yeux ambrés. On le remarquait davantage pour son origi- nalité que pour sa beauté, mais il paraissait toujours faire mille choses à la fois, dont, en ce moment, interpeller Gillian avec conviction.

Même le nouveau copain d'Amy, Eugene, que Gillian trouvait des plus quelconques, agitait les doigts dans sa direction.

David aussi avait levé la main, malgré l'œil noir de Tanya. Il avait l'air têtu et poli. Gillian se demandait juste s'il ne prétendait pas vouloir aider une pauvre gosse dans la difficulté.

– *Choisis... Macon,* souffla la voix fantomatique après une courte hésitation.

– *Macon ? J'aurais plutôt pensé à Cory.*

Elle ne pouvait évidemment pas prendre David, pas avec Tanya qui la fusillait du regard. Et c'était la même chose pour Bruce : sa copine, Amanda Spengler, était assise à côté de lui. Cory était gentil et... accessible. Tandis qu'elle trouvait Macon vaguement effrayant.

Cette fois, la voix dans sa tête résonnait patiemment.

– *Est-ce que je t'ai jamais donné de mauvais conseils ? Macon.*

– *Cory s'y connaît mieux en fêtes...*

Pourtant, elle se dirigeait vers Macon. Elle savait désormais que l'important, dans sa vie, restait de faire confiance à Angel, à tout prix.

– Merci, dit-elle doucement au garçon en se perchant sur un tabouret libre à côté de lui.

Puis elle répéta, à la suite d'Angel :

– Je suis sûre que tu sais très bien prendre des notes. Tu m'as l'air très observateur.

Macon le Friqué répondit d'un signe de tête tout juste perceptible. Elle remarqua que ses yeux étaient vert mousse, une couleur plutôt rare, assez dérangeante.

Néanmoins, il se montra gentil avec elle. Il lui promit de faire photocopier, par le secrétariat de son père, toutes les notes qu'il avait prises depuis le début de l'année dans son gros cahier à spirales. Il lui prêta un surligneur. Et ne cessa de la regarder tel un collectionneur devant une œuvre d'art.

Ce qui n'empêcha pas Cory le Fêtard de laisser tomber une boule de papier sur sa table en allant jeter son chewing-gum dans la corbeille. Gillian la déplia et découvrit un chocolat accompagné d'un questionnaire : « Tu es nouvelle ? Tu aimes la musique ? Ton numéro de téléphone, STP ? » Quant à Bruce l'Athlète, il tentait de capter son regard chaque fois qu'elle se tournait dans sa direction.

Cela lui fit chaud au cœur.

Et elle n'avait pas encore tout vu. M. Leveret demanda qu'on lui cite les cinq règnes de classification des êtres vivants.

– *Lève la main, gamine.*

– *Mais je ne me rappelle pas…*

– *Vas-y.*

Elle leva la main, plus rassurée du tout, elle qui ne répondait jamais à une question durant un cours. Sur le coup, elle espéra presque que le professeur ne la verrait pas, mais il la repéra immédiatement et lui adressa un signe du menton.

– Gillian ?

– *Maintenant, répète après moi…*

– Bon, les cinq règnes sont, du plus avancé au plus primitif : animaux, végétaux, champignons, protistes… et Eugene.

Elle acheva sa phrase en se tournant vers l'intéressé.

Ce n'est pas sympa pour lui, protesta-t-elle mentalement à l'adresse d'Angel.

Cependant, la classe entière partait dans un énorme éclat de rire, jusqu'à M. Leveret qui levait les yeux au ciel avec un sourire en coin. Ils la prenaient pour une excitée cynique, capable d'animer toute une assemblée.

– *Mais Eugene…*

– *Regarde-le.*

Rouge comme une tomate, celui-ci avait baissé la tête l'air plutôt ravi que gêné ou vexé ; en fait, il était enchanté de centraliser l'attention.

N'empêche que ce n'est pas sympa…

Cette pensée fut vite noyée dans l'intense satisfaction qui s'emparait d'elle. Jamais elle ne s'était sentie aussi acceptée, à sa place. Elle avait l'impression que, désormais, tout le monde s'esclafferait chaque fois qu'elle esquisserait une plaisanterie, plus ou moins drôle, parce qu'on voudrait la trouver amusante et lui faire plaisir.

– *Règle numéro un, ma puce : une jolie fille peut taquiner n'importe quel garçon et lui faire plaisir, à n'importe quel sujet. J'ai raison ou pas ?*

– *Tu as toujours raison, Angel.*

Elle le pensait de tout son cœur. Elle n'aurait jamais cru qu'un ange gardien puisse se conduire ainsi, mais elle était enchantée de savoir qu'elle pouvait compter sur lui.

À l'intercours, le miracle continua. Au lieu de se précipiter vers la sortie comme elle le faisait d'habitude, elle se prit à traîner d'un pas tranquille dans le corridor. Elle ne put s'en empêcher, d'autant que Macon et Cory la précédaient en lui parlant, tous les deux à la fois.

– Je peux même te préparer mes notes pour ce week-end, assurait Macon le Friqué. Je les déposerai chez toi.

Sous ses paupières tombantes, son regard la perçait et sa moue devenait de plus en plus sensuelle.

– Non, j'ai une meilleure idée, intervint Cory. Macon, mon pote, si on donnait une nouvelle fête ? Ça fait des semaines, maintenant... Dans ta grande maison... Tiens, samedi ! J'apporterai la bière et on fera mieux connaissance avec Gill...

– Bonne idée ! approuva Bruce l'Athlète. Je suis libre, samedi, et toi, Gill ?

Il lui passa un bras sur l'épaule.

– Je te dirai ça vendredi, rétorqua-t-elle avec un sourire.

Elle ne faisait que répéter la phrase soufflée dans son esprit et se débarrassa vite de l'étreinte du copain d'Amanda.

Une fête en mon honneur ! songea-t-elle éblouie. Elle qui jusque-là rêvait seulement d'être invitée à une de leurs soirées ! Comment aurait-elle seulement imaginé être un jour le centre de l'attention ? Elle en eut le cœur serré. Tout cela arrivait trop vite.

D'autres élèves se joignaient à eux et on ne parlait plus que d'elle.

– Hé, tu es nouvelle ?

– Mais non ! C'est Gillian Lennox. Elle est là depuis des années.

– Je ne l'ai jamais vue.

– Dis plutôt que tu ne l'as jamais remarquée.

– Hé, Gill, tu l'as perdu où ton bouquin de bio ?

– Tu es sourd ? Elle est tombée dans un torrent en voulant sauver un gamin. Elle a failli se noyer.

– Paraît que c'est David Blackburn qui l'a sortie de là et qu'il lui a fait du bouche-à-bouche.

– On dit aussi qu'ils étaient garés à Hillcrest Road ce matin.

C'était enivrant, exaltant. D'autant qu'il n'y avait pas que des garçons parmi ses admirateurs. Elle aurait pourtant cru que les filles seraient jalouses, malveillantes, qu'elles lui auraient battu froid. Pourtant il y avait là Kimberlee Cherry, Kim la Gymnaste, la pétillante, l'étincelante petite dynamo aux boucles blondes et aux yeux bleu ciel, qui riait et pépiait. Et puis Steffi Lockhart la Chanteuse, au teint café au lait et aux yeux d'ambre infiniment profonds, qui souriait et parlait avec ses mains.

Même Amanda, la Pom-pom girl, copine de Bruce Faber, s'était jointe au groupe, riant à pleines dents en agitant son épaisse chevelure brune.

D'un seul coup, Gillian comprit. Ces filles ne pouvaient la détester ou, du moins, pas le montrer. Car elles avaient affaire à quelqu'un d'important, à qui sa beauté et son succès auprès des garçons donnaient tous les droits. Elle était la star montante, celle avec qui il faudrait désormais devenir ami. Toute fille qui s'aviserait de la snober risquait d'entamer sa propre popularité pour peu que Gillian décide de se venger. Elles avaient donc peur de ne pas lui plaire.

Et ça donnait le vertige. Elle se sentait belle comme un ange, dangereuse comme un serpent. Elle chevauchait des vagues d'énergie et d'adulation.

C'est alors qu'elle eut l'impression de dégringoler d'une falaise.

Tanya avait pris David par le bras et tous deux s'éloignaient dans le couloir.

8

Gillian demeura parfaitement immobile en suivant des yeux David qui disparut à l'angle du corridor.

– *Ce n'est pas le moment de passer à l'acte. Ressaisistoi et fais-leur un grand sourire. Ça vaut tous les diamants de la Terre.*

Gillian s'efforça de sourire.

L'étrange journée continua au même rythme. À chaque cours, elle allait voir le professeur pour lui demander un nouveau livre. À chaque cours, elle était bombardée de propositions pour recevoir des notes photocopiées et autres coups de main. Chaque fois, Angel lui soufflait à l'oreille ce qu'il fallait répondre en fonction de ses interlocuteurs. Elle savait ainsi se montrer spirituelle, insolente, parfois cinglante.

Elle s'aperçut qu'elle possédait un avantage particulier : comme personne ne l'avait remarquée jusque-là, elle se sentait presque dans la peau d'une autre et pouvait devenir qui elle voulait. On la croirait sur parole.

— *Comme Cendrillon au bal,* susurra la voix tendre d'Angel. *La mystérieuse princesse.*

Au cours de journalisme, elle prit place à côté de Daryl Novak, voluptueuse fille aux yeux de biche et aux longs cils dédaigneux, la Nantie qui avait déjà fait le tour du monde et parlait de Paris, de Rome et de la Californie comme si tout le monde y était allé dix fois.

Au déjeuner, Gillian marqua une hésitation en entrant dans la cafétéria. D'habitude, elle s'installait dans un coin obscur avec Amy. Mais, ces derniers temps, c'était Eugene qui tenait compagnie à sa copine et, là, elle apercevait autour d'eux un groupe incluant Amanda la Pom-pom girl, Kim la Gymnaste et quelques autres stars, dont David et Tanya.

— *Je m'assois avec eux ? Personne ne m'a invitée.*

— *Pas avec eux, gamine. Près d'eux. Mets-toi au bout de cette table-là, sans rien dire à personne. Ne regarde que ton déjeuner. Commence tranquillement.*

Ce serait bien la première fois qu'elle mangerait seule, du moins dans un lieu public. En l'absence d'Amy, et si elle ne trouvait aucun élève de première avec qui elle se sentait à l'aise, elle se glissait dans la bibliothèque pour y déjeuner en douce.

En temps normal, elle se serait sentie horriblement vulnérable, mais pas là, parce qu'elle n'était pas vraiment seule ; elle avait Angel qui lui murmurait des plaisanteries à l'oreille. Et puis elle se sentait tellement mieux dans sa peau ! Elle se voyait presque en train de manger, calme et indifférente aux regards, absente, totalement perdue dans ses pensées. Elle essayait de donner un rythme voluptueux à chacun de ses mouvements, comme Daryl la Nantie.

– *Et j'espère qu'Amy ne croit pas que je la snobe. Après tout, elle n'est pas toute seule dans son coin. Elle a Eugene.*

– *Oui. Il va falloir qu'on parle un peu d'elle, gamine. Mais, pour l'instant, on te demande. Alors souris et sois sympa.*

– Gill ! T'es la meilleure, Gill !

– Hé, Gill, viens par ici !

Ils voulaient l'avoir avec eux. Elle transportait son plateau vers leur table et ne répandait rien à terre. Elle était petite et gracieuse, légère comme une plume, et ses copains s'assemblaient autour d'elle pour former un véritable rempart.

Le plus extraordinaire étant que, pour une fois, ils ne lui faisaient pas peur ; ils s'envoyaient des vannes qu'elle comprenait. Jusque-là, elle s'était demandé ce qui pouvait les faire tant rire. Maintenant, elle savait que c'était juste l'ambiance générale, le plaisir de savoir qu'ils occupaient une certaine position. Ça rendait les choses plus amusantes. Elle sentait le regard de David, à côté de Tanya, et continuait de rire.

Parfois, elle percevait d'autres voix, d'élèves assis à proximité du groupe ; la plupart n'exprimaient que sympathie et admiration. Elle crut entendre mentionner son nom...

Alors elle se concentra pour capter ce qui se disait.

– Il paraît que sa mère boit.

Paroles terriblement claires et tonitruantes, qui se détachaient parfaitement sur le bourdonnement de la salle. Elle en eut la chair de poule et n'écouta plus ce que racontait Kim la Gymnaste.

– *Angel, qui a dit ça ? C'était de moi qu'on parlait ? De ma mère ?*

Elle n'osait pas regarder derrière elle.

– ... s'est mise à boire il y a quelques années et ça lui a donné des hallucinations...

Cette fois, la voix s'élevait si haut qu'elle couvrit les plaisanteries du groupe de Gillian. Kim s'interrompit au milieu d'une phrase. Le sourire de Bruce l'Athlète se figea. Un lourd silence tomba sur la salle.

Une sourde colère s'empara de Gillian, violente à lui donner le tournis.

— *Qui a dit ça, que je le tue ?*

— *Calme-toi ! Ce n'est pas comme ça qu'il faut réagir.*

— *Mais…*

— *J'ai dit, calme-toi. Regarde ton assiette et répète après moi, de ta voix la plus cool : « Je déteste les rumeurs, pas vous ? Il faut vraiment être nul pour lancer des trucs pareils. »*

Gillian prit une longue inspiration et obéit d'une voix aussi calme que possible malgré un léger tremblement.

— C'est nul, renchérit David en se levant.

Il inspectait d'un regard glacial la table d'où étaient montées les accusations et elle se sentit aussitôt rassurée ; en même temps, elle se mordait les lèvres à l'idée de ce qui aurait pu se passer entre eux…

— Moi aussi j'ai horreur de ça ! intervint J. Z. Oberlin de son ton toujours tranquille.

J. Z. avait tout d'un mannequin de magazine, magnifique et inaccessible. Pour une fois, elle semblait s'enflammer :

– L'année dernière, on a voulu faire croire que j'avais tenté de me suicider. Je n'ai jamais su d'où ça venait.

Alors, tout le monde se mit à parler de rumeurs, des imbéciles qui les répandaient, et on prit le parti de Gillian.

Pourtant, songea-t-elle, *c'est David qui m'a soutenue le premier.*

Elle cherchait à capter son regard lorsqu'elle perçut le tintement du verre brisé. Comme tout un chacun, Gillian tâcha de voir qui avait fait ça. Cependant, elle ne distingua aucune expression déconfite, pas un seul maladroit qui paraisse s'excuser.

Jusqu'à ce que ça recommence. Près de l'entrée, deux personnes regardèrent à leurs pieds avant de lever la tête.

Une vitre en demi-cercle au-dessus de la porte réfléchissait bizarrement la lumière, d'un scintillement quasi prismatique, comme si d'étranges arcs-en-ciel s'y reflétaient...

Une masse de flocons en tombait et heurtait le sol en tintant sous le regard ébahi de ceux qui se trouvaient à côté. Alors Gillian comprit et se leva d'un bond.

– Oh non !

— Fichez le camp ! cria David en faisant de grands gestes. Ça va sauter. Allez-vous-en !

Il courait dans leur direction, ce qui était complètement idiot, se dit Gillian la gorge sèche.

Plusieurs personnes s'étaient mises à crier, Cory et Amanda, Bruce... et Tanya. Kim poussait des hurlements. La vitre explosa dans un jaillissement quasi poétique, resplendissant, avant de s'éparpiller sur le sol en tintinnabulant.

Quand ce fut terminé, il ne restait de la lunette qu'un trou vide hérissé d'éclats le long des bords. Partout dans la cafétéria, les débris jonchaient le sol comme des grêlons et, jusqu'au fond, les élèves avaient été touchés par des éclats.

Cependant, personne ne semblait sérieusement blessé.

Grâce à David, se dit Gillian soulagée. Il les a prévenus à temps. J'espère qu'il n'est pas touché, lui non plus !

— *Il va bien. Et qui te dit qu'il y a pensé tout seul ? Je l'ai peut-être un peu aidé, tu ne crois pas ? C'est dans mes capacités. Je souffle des idées aux gens sans qu'ils sachent jamais d'où ça leur est venu.*

La voix d'Angel paraissait presque... mortifiée.

— *Hein ? C'est toi ? Merci, c'est très gentil !*

À travers la salle, Gillian regardait David qui se faisait soigner le bras par Tanya.

Ouf, il va bien !

Gillian éprouvait un tel soulagement que c'en était presque douloureux.

Alors seulement elle s'avisa qu'il venait de se passer quelque chose d'extraordinaire. Cette vitre, avant d'exploser, lui avait fait exactement le même effet que la glace de sa salle de bains. Lézardée de haut en bas sur toute sa surface.

Chez elle, le miroir avait craqué alors que Tanya disait des vacheries sur son compte. À présent, elle se rappelait ce qu'elle avait voulu demander à Angel la nuit dernière. C'était au sujet de cet incident. Comment la glace avait-elle pu se fendre ainsi ?

Et maintenant la vitre... elle avait commencé à s'effondrer peu après que quelqu'un eut insulté la mère de Gillian.

Ses courtes mèches se dressèrent dans la nuque de Gillian et elle fut envahie d'un sentiment d'effroi.

Ce n'était pas possible. Angel ne lui était alors pas encore apparu...

Mais il avait promis de rester toujours auprès d'elle...

Un ange ne détruisait pas ce qui l'entourait...

Cependant, Angel n'était pas un ange comme les autres.

– Excuse-moi. Hé ! Tu n'as pas quelque chose à me dire, là ?

– Angel !

Pour la première fois depuis que cette voix douce avait résonné dans son oreille, Gillian éprouvait un sentiment de... d'empiétement sur sa vie privée et cela ne fit qu'augmenter son malaise.

– Angel, je me demandais juste...

D'un seul coup, les paroles jaillirent :

– Angel, ne me dis pas... que tu as fait ça pour moi... briser ce miroir et cette fenêtre ?

Une courte pause s'ensuivit, interrompue par un rire tonitruant, triomphant. Enfin, cela s'apaisa sur un léger hoquet :

– Moi ?

– Je n'aurais pas dû te demander ça, s'excusa presque Gillian. Seulement c'était trop bizarre...

– Plutôt, oui. Bon, oublie. Tu es en retard pour ton prochain cours, la cloche a sonné il y a cinq minutes.

Les deux heures qui suivirent s'écoulèrent dans une sorte de vertige. Il s'était passé tellement de choses ce jour-là. Elle avait l'impression d'avoir vécu une vie entière entre son réveil et maintenant.

Et ce n'était pas fini.

Pendant le dernier cours, celui de dessin, elle discuta de nouveau avec Daryl la Nantie, la seule de sa classe à suivre des leçons de journalisme et d'art. Quelques minutes avant la fin, elle baissa ses longs cils vers Gillian :

– Tu sais, il y a d'autres rumeurs qui courent sur ton compte. On dit que toi et David vous fricotez derrière le dos de Tanya, que vous vous retrouvez en secret le matin et...

Sans finir sa phrase, Daryl passa dans ses cheveux une main pleine de bagues.

Gillian eut l'impression de se réveiller en sursaut.

– Et ?

– Et tu devrais faire attention. Ça va vite, les rumeurs, et ça enfle. J'en sais quelque chose. Tu devrais soit les démentir, soit...

Daryl s'humecta les lèvres en souriant.

– Soit, les étouffer.

– Ah oui ? Et je fais ça comment ?

– *Silence, gamine, écoute-la un peu.*

– S'il y a du vrai là-dedans, tu as intérêt à le reconnaître en public. Ça désenfle le reste. Et ça peut toujours aider à repérer la personne qui a lancé la rumeur...

– *Dis-lui que tu le sais. Et que tu iras trouver Tanya après les cours.*

– Tanya ? Tu veux dire... ?

– Dis-le, c'est tout.

Gillian parvint à se reprendre assez pour répéter les paroles d'Angel. Daryl la Nantie posa sur elle un regard plein de respect.

– Tu es plus douée que je n'aurais cru. Tu n'avais peut-être pas tant besoin de moi que ça.

– Attends, ça fait toujours du bien quand on vient vous aider un peu.

– Tu as raison.

C'était donc Tanya qui répandait ces bruits sur ma mère.

Gillian faillit trébucher en sortant de la salle. Elle était fatiguée, abasourdie. Jamais elle n'aurait cru Tanya capable de ce genre de bassesse.

– Elle n'était pas la seule. Pour répandre ce genre de rumeur aussi vite, il lui a fallu des complicités. Mais c'est bien elle qui l'a lancée. Tourne à gauche, là.

– Pour aller où ?

– Tu vas tomber sur elle avant qu'elle ne sorte de son cours de marketing. Elle est seule en ce moment. Le prof avait quelque chose à lui dire en particulier mais il a dû faire une halte imprévue aux toilettes.

Gillian eut presque envie d'en sourire. Angel n'était certainement pas pour rien dans ce contre-temps.

Quand elle passa la tête dans la salle, elle put constater que Tanya s'y trouvait effectivement seule.

– Tanya, j'ai quelque chose à te dire.

Les épaules de celle-ci se raidirent et elle se retourna lentement. Sans la présence d'Angel, Gillian se serait sentie dessécher sur place.

– Vas-y, dit Tanya.

Ce qui s'ensuivit ressembla davantage à une représentation théâtrale pour Gillian qu'à une conversation. Elle répéta ce qu'Angel lui soufflait sans jamais trop savoir ce qu'il allait inventer ensuite. Le seul moyen de s'en sortir consistant à s'en remettre totalement à lui.

– Écoute, je sais que tu m'en veux, Tanya, mais j'aimerais qu'on en discute comme deux adultes, si tu veux bien.

Selon les instructions d'Angel, elle se dirigea vers un bureau, passa dessus une main distraite.

– On n'est plus des gosses, ajouta-t-elle.

– Je ne vois pas de quoi tu veux parler.

– Ah non ? lança Gillian en soutenant son regard. En fait, je crois que tu le vois très exactement.

– *Angel, j'ai l'impression de me retrouver en plein soap…*

– Tu te trompes, et je n'ai pas trop le temps…

– Je parle de ces rumeurs, Tanya. De cette histoire qui circule sur ma mère. Et je parle aussi de
David.

Tanya ne bougea pas d'un pouce, pourtant elle
parut quelque peu surprise par la franchise de son
interlocutrice. Et puis ses prunelles grises se durci-
rent, son expression se fit plus agressive :

– D'accord, on parle de David ! lança-t-elle d'un
ton dégagé en s'approchant avec des mouvements de
félin. Je ne suis pas au courant pour ces rumeurs
mais j'aimerais bien savoir ce que David et toi vous
trafiquiez ce matin. Si ça ne te dérange pas de me le
dire ?

– *Angel, on jurerait qu'elle s'amuse bien. Non mais
regarde-la ! Sans compter qu'elle est plus grande que
moi...*

– *Fais-moi confiance, gamine.*

– On ne trafiquait rien du tout, affirma Gillian en
pointant un menton agressif. Je vais te dire ce qui
s'est passé exactement. Je l'aime bien, David, je l'ai
toujours trouvé sympa. Il est gentil, loyal et bien
élevé. Ça ne veut pas dire que je cherche à te le
piquer. En fait, c'est plutôt le contraire.

Là-dessus, elle tourna les talons, le regard fixé vers
les fenêtres.

– Je crois qu'il mérite ce qu'il y a de mieux et je

sais qu'il tient beaucoup à toi. Voilà exactement ce qui s'est passé ce matin. Il m'a dit que vous vous étiez fait une promesse, tous les deux. Alors, tu vois, tu n'as aucune raison de te monter la tête.

— Arrête ! s'écria Tanya les yeux brillants. Et ça, alors, c'est quoi ?

Elle désignait la tenue et la coiffure de Gillian.

— Tu passes du jour au lendemain de miss Transparente à… à ceci ; tu te pavanes à travers le lycée et tu voudrais faire croire que ce n'est pas pour David ?

— Tanya, la façon dont je m'habille n'a rien à voir avec lui, mentit calmement Gillian. C'est juste… que j'en avais envie. J'en avais marre d'être transparente. Mais peu importe, ce qui compte en ce moment, c'est le bien de David, et je crois que c'est toi qui lui fais du bien… tant que tu n'es pas injuste envers lui.

— Ça veut dire quoi ?

Tanya perdait son calme légendaire. Elle paraissait soudain venimeuse, quasi folle de rage.

— Ça veut dire que tu arrêtes de faire ta provoc avec Bruce Faber.

— *Angel, j'hallucine ! Bruce Faber ? Bruce l'Athlète ? Elle sort avec Bruce Faber ?*

La voix de Tanya cingla comme un coup de fouet :

— Qu'est-ce que tu racontes ? Qui t'a dit ça ?

– Ce n'est pas vrai, peut-être, les soirées piscine l'été dernier chez Macon ? Pendant que David partait en vacances chez sa grand-mère ? Et ce qui s'est passé dans la voiture de Bruce après le bal d'Halloween ?

Silence. Lorsque Tanya reprit la parole, ce fut d'une voix glaciale :

– Comment tu le sais ?

– C'est comme ça, quand on répand des rumeurs, c'est une épée à double tranchant.

– Alors ça vient de cette garce de Kim ! Avec sa langue…

Son intonation changea encore, comme si elle se rapprochait soudain armée de griffes :

– Et je suppose que tu comptes le dire à David ?

– Pardon ?

Un court instant, Gillian ne comprit pas ce que lui soufflait Angel et marqua une hésitation avant de se reprendre :

– Mais non, ne t'inquiète pas. C'est pour ça que je t'en parle. Je veux juste que tu me promettes d'arrêter de parler de ma mère.

– Je te promets de faire bien pire que ça, siffla Tanya juste derrière elle. Tu ne te rends pas compte de quoi je suis capable si tu te mêles de mes affaires, espèce de sale petite…

– Tu en as déjà assez fait comme ça.

La voix provenait de la porte. À peine l'avait-elle entendue que Gillian comprit exactement ce qui se passait.

9

Évidemment, c'était David.

Gillian fit volte-face. Il se tenait sur le seuil, sa veste jetée sur une épaule, l'autre main dans la poche, la mâchoire serrée, les yeux sombres, fixés sur Tanya.

Silence.

– *Depuis combien de temps il est là, Angel ?*

– *Eeuuh... Disons à peu près... depuis le début.*

– *Alors là...*

Voilà donc pourquoi Angel avait voulu que Gillian fasse preuve d'une telle modération, d'une telle noblesse, laissant à Tanya le rôle de la mégère !

Ce qui était quand même exagéré. Elle voulut s'expliquer :

– David... tu ne comprends...

– Oh si, très bien ! N'essaie pas de la dédouaner. Je préfère être au courant.

– *C'est ça, ferme-la, cervelle d'oiseau, et prends*

donc un air mi-contrit mi-gêné. *Comme si tu te doutais que c'était le moment de les laisser s'expliquer en tête à tête.*

— Euh... je vous laisse, maintenant...

— *De toute façon, il faut que tu y ailles.*

— De toute façon, il faut que j'y aille.

— *Tu n'es pas celle qu'ils croient.*

— Je ne suis pas... *Angel, je vais te tuer !*

Agacée, elle fit un geste d'excuse et courut presque vers la porte.

— *Pardon, gamine, je n'ai pas pu résister. Mais tu sais ce que tu as fait ?*

— Je... j'ai dû me débarrasser de Tanya...

Alors même que l'adrénaline retombait, elle commençait à prendre conscience du résultat de cet affrontement et fut emplie d'un sentiment de joie et d'espoir.

— *Tu vois.*

— *Et en douceur, encore. Parce que tout ça, c'était bien vrai, n'est-ce pas, Angel ? Elle sortait bien avec Bruce ?*

— Tout le monde est sorti avec Bruce un jour ou l'autre. Oui, c'était vrai.

— *Et Kim, alors ? C'est elle qui répand des rumeurs sur les gens ?*

— *Aussi sûr que deux et deux font quatre.*

– Je... elle avait pourtant l'air si gentille ! *Quand on a parlé de rumeurs à la cafétéria, elle m'a caressé la main.*

– Elle est gentille... en face. Mais dans ton dos... Tiens, prends à gauche, maintenant.

Gillian émergea sur le perron du lycée et, en descendant les marches, elle aperçut trois ou quatre voitures garées autour du rond-point, dont la décapotable BMW de Macon. Il leva la tête vers elle, lui fit signe de monter.

D'autres garçons criaient :

– Hé, Gill, je t'emmène ?

– On ne va pas te laisser te perdre encore dans les bois !

Elle restait là, à se prendre tout d'un coup pour Scarlett O'Hara. Tous ces gens qui l'invitaient ! Ça donnait le vertige. Quant à Angel, il semblait s'en moquer :

– *Choisis qui tu veux.*

Non loin de là, stationnait aussi la vieille Chevrolet d'Amy, cette dernière au volant, Eugene à côté d'elle. Mais si Gillian rentrait avec ce type, ce serait un désastre pour sa réputation.

Elle opta finalement pour Cory le Fêtard qui, tout au long du trajet, ne cessa de lui parler de la soirée chez Macon le samedi suivant. Elle eut du mal à se débarrasser de lui devant la maison. Après quoi, elle monta directement dans sa chambre, se jeta sur le lit les bras écartés, à regarder le plafond.

Ouf !

Elle venait de vivre la journée la plus incroyable de sa vie.

Essayant de rassembler ses idées, elle demeura un moment à écouter les bruits de la maison. Elle avait beau se sentir magnifiquement bien dans sa nouvelle peau, une sorte d'anxiété commençait à lui serrer la gorge. Elle avait envie de savoir comment cela s'était terminé pour Tanya. Impossible de se sentir vraiment heureuse tant qu'elle ne saurait pas...

— Détends-toi un peu.

Gillian s'assit. La voix n'avait pas retenti dans son oreille mais dans la chambre, près du lit. Angel venait de se poser au bord.

Cette vision lui fit un choc violent, comme si elle avait oublié à quel point il était beau, d'une beauté tellement blonde, tellement classique qu'il en devenait totalement irréel, comme une statue grecque incarnée. Si bien que son clin d'œil la prit de court.

— Salut ! balbutia-t-elle.

— Salut, gamine. Fatiguée ?

— Oui. Complètement vannée.

– Offre-toi une petite sieste. J'ai des trucs à faire pendant ce temps.

– Pardon ? Oh, Angel ! Je ne t'ai même pas demandé... c'est comment le paradis ? Avec des anges tels que toi, ça ne doit pas du tout ressembler à ce qu'on croit en général. Cette prairie que j'ai vue, ce n'était pas ça ?

– Pas vraiment. Mais bon, c'est difficile à expliquer. Tout est dans l'oscillation des harmonies spatio-temporelles, un peu comme ce qu'on appellerait la vibration inhérente au plan. À une vibration plus haute, tout prend un thème harmonique beaucoup plus compliqué...

– Tu cherches juste à m'embrouiller, là ?

– Ouais. En fait, c'est confidentiel. Tâche plutôt de dormir.

Gillian avait déjà fermé les yeux.

En s'éveillant, elle fut contente de sentir une odeur de dîner. Cependant, elle ne trouva que sa mère à la cuisine.

– Papa n'est pas rentré ?

– Non, ma chérie. Il a téléphoné et laissé un message pour toi. Il sera retenu un certain temps par ses affaires.

– Mais il sera rentré pour Noël, non ?

— J'en suis certaine.

Gillian ne dit plus rien et mangea le hachis que sa mère lui présenta, non sans remarquer au passage que celle-ci ne prenait rien. Après quoi, elle resta dans la cuisine à jouer avec ses couverts.

— Ça va ?

Elle accueillit avec soulagement la voix dans sa tête.

— *Angel, oui, ça va. Je réfléchissais... à ce qui est arrivé à maman. Ça n'a pas toujours été comme ça. Elle était prof d'université...*

— *Je sais.*

— *Et puis... c'était à peu près il y a cinq ans, elle s'est mise à faire des trucs fous, à voir des choses... je ne savais pas ce que ça donnait quand on se saoulait, à l'époque. Je croyais qu'elle avait perdu la tête. Jusqu'à ce que papa commence à trouver des bouteilles vides...*

— *Je sais.*

— *Je voudrais... que ça change. Angel ? Tu crois que ce serait possible ?*

Après un silence, il répondit d'une voix tranquille :

— *Je vais voir ce que je peux faire, gamine. Mais je crois que oui, c'est possible.*

Gillian ferma les yeux, finit par les rouvrir.

– Angel, comment est-ce que je pourrai te remercier ? Avec tout ce que tu fais pour moi... Je ne sais même pas comment te dire...

– Oublie. Et ne pleure pas. Un visage réjoui vaut toutes les crèmes de beauté. Et puis tu dois répondre au téléphone.

– Quel téléphone ?

Le téléphone sonna.

Gillian s'essuya les yeux et lança dans le vide « Allô » pour s'assurer que sa voix ne tremblait pas. Puis, après une longue inspiration, elle décrocha.

– Gillian ?

Ses doigts agrippèrent le combiné.

– Salut, David.

– Je voulais vérifier que tu allais bien. Je ne te l'ai même pas demandé quand... enfin tu sais, cet après-midi...

– Ça va.

Cette fois, elle n'avait pas besoin d'Angel pour lui souffler quoi dire.

– Je suis capable de me débrouiller toute seule, tu sais.

– Oui, mais Tanya est parfois très brutale. Quand tu es partie, elle a... enfin bref...

Il ne veut pas dire de mal d'elle, pensa Gillian.

– Je vais bien, assura-t-elle.

– C'est que...

L'intense désarroi du garçon transparaissait au bout du fil et cela finit par exploser :

– Je ne savais pas !

– Quoi ?

– Qu'elle était... comme ça ! Tu te rends compte, elle qui tient la ligne SOS pour ados en difficulté, elle qui fait partie d'associations contre la faim et d'organisations humanitaires, et voilà que... Enfin, je n'aurais pas cru ça d'elle.

– David, ça ne l'empêche pas d'être quelqu'un de bien, de courageux. Tiens, quand cette fenêtre...

– Arrête, Gillian. C'est toi qui es courageuse, et drôle et... trop cool. Tu as fait ton possible pour la tirer d'affaire. Enfin, tu dois t'en douter, c'est fini entre nous. C'est ce que je lui ai dit. Et maintenant...

Tout d'un coup, il se mit à rire, comme s'il venait de se libérer d'un grand poids.

– Tu veux bien que je t'accompagne à la soirée, samedi ?

Elle aussi éclata de rire.

– Avec plaisir !

– *Oh, Angel, merci !*

Elle était trop heureuse !

Le reste de la semaine fut fantastique. Chaque jour, Gillian portait une nouvelle tenue arrachée aux profondeurs de son placard. Chaque jour, elle semblait devenir plus populaire. Dès qu'elle entrait quelque part, on la regardait, on essayait de capter son attention, on lui adressait de petits signes. Tout le monde semblait avoir envie de lui parler et être content qu'elle accepte de répondre. Elle s'élevait sans cesse un peu plus haut, telle une fusée.

Et son guide et protecteur ne la quittait pas. Comme si Angel faisait désormais partie d'elle, suscitant tout ce qu'il y avait de plus futé en elle, de plus ingénieux. Il lui inspirait des traits d'esprit, arrondissait les angles, lui soufflait qui supporter, qui repousser. Et Gillian s'y faisait les dents, se découvrait chaque jour de nouveaux talents. Elle devenait littéralement quelqu'un d'autre.

Elle ne voyait plus beaucoup Amy mais, après tout, celle-ci avait Eugene. Quant à David, elle était tellement sollicitée qu'elle n'avait jamais l'occasion de le voir en tête à tête.

Le samedi, elle se rendit à Houghton avec Amanda la Pom-pom girl et Steffi la Chanteuse. Toutes trois s'amusèrent beaucoup, se firent siffler partout, entrèrent dans toutes les boutiques. Gillian acheta une robe et des bottines, chaque fois approuvée par Angel.

Ce soir-là, lorsque David vint la chercher, il émit lui aussi un petit sifflement.

– Je te plais comme ça ?

– Tu es… à la fois mystérieuse et rayonnante. Comment fais-tu ?

Autour de la maison de Macon le Friqué, une armée de rennes scintillants montait la garde le long de la pelouse, à l'intérieur, les hauts plafonds, les rampes de spots, les tapis d'Orient, les porcelaines précieuses, l'argenterie, tout éblouissait le visiteur.

– *Ma première vraie soirée, grâce à toi ! Et on l'a presque organisée autour de moi.*

– *Ta première vraie soirée, organisée pour toi. Le monde t'appartient, gamine. Vas-y, profites-en !*

Macon vint à sa rencontre, sous les yeux des autres invités. Gillian s'était arrêtée sur le seuil afin de mieux marquer son entrée et elle adorait ça.

Sa tenue faisait à la fois classe et décontractée : minirobe noire décorée de fleurs mauves stylisées, assez sombres pour qu'on les distingue à peine. Le doux crépon lui collait comme une seconde peau, par-dessus le collant noir opaque et, bien sûr, les bottines. Pas trop de maquillage, elle préférait avoir l'air fraîche et douce. Elle s'était juste noirci les cils pour mieux faire ressortir ses iris violets.

Elle était à tomber par terre... tout en restant naturelle. Et ne le savait que trop bien.

Les paupières lourdes de Macon cachaient mal son expression gourmande.

– Comment ça va ? Tu as l'air en forme.

– On est tous les deux en forme, rétorqua-t-elle en étreignant le bras de David.

À ce geste, les yeux de Macon s'assombrirent comme s'ils venaient de découvrir l'objet d'un délit.

David parut se redresser, un rien menaçant, et Macon recula d'un pas avant de lâcher :

– Mes parents sont partis pour le week-end, vous êtes ici chez vous. Le buffet vous attend.

Les lieux regorgeaient de victuailles et des haut-parleurs diffusaient partout une musique toni-truante. Cory vint à la rencontre des nouveaux venus :

– Salut, les gars ! Prenez un verre avant qu'il ne reste plus rien.

Outre la bière, il y avait des bouteilles d'alcool sur toutes les tables ; un garçon s'était carrément allongé sur l'une d'elles pour qu'une fille lui verse du whisky directement dans le gosier.

– Tiens, Gill, c'est pour toi ! lança Cory en lui tendant un verre de plastique débordant de mousse.

Celle-ci lui décocha un regard méprisant. Là, elle n'avait pas besoin de l'aide d'Angel pour exprimer sa désapprobation.

– Merci, mais je tiens encore à mes cellules grises. Si tu respectais un peu plus les tiennes, tu ne te serais pas fait coller en biologie.

Dans l'hilarité générale, même Cory s'esclaffa, d'un rire jaune.

– Tu as tout compris ! s'écria Daryl la Nantie en levant sa canette de Coca.

David prit la même chose et personne ne parut rien trouver à y redire. Ce fut alors le garçon sur la table qui parut légèrement embarrassé. Gillian savait qu'on pouvait entreprendre ce qu'on voulait tant qu'on gardait la tête froide. Le sentiment de réussite était autrement plus enivrant que n'importe quel alcool.

– Ça te plaît, ça, non ? C'est bon, non ?

– Ouais… pas mal, rétorqua Angel pas convaincu. On dit aussi « l'alcool rend le cœur de l'homme heureux… »

Gillian faillit éclater de rire.

– Oh, Angel, quel naze ! On dirait Cory.

Tout lui paraissait tellement génial, cette musique, cette grande maison, ces extraordinaires décors de Noël, ces gens, toutes ces filles qui se jetaient à son cou pour l'embrasser comme si elles ne l'avaient pas vue depuis des mois, tous ces garçons qui essayaient d'en faire autant mais que David éloignait d'un regard mauvais.

Ça aussi, c'était génial : les autres semblaient maintenant accepter l'idée qu'elle soit avec David Blackburn, qu'il lui appartienne. Ce qui la faisait grimper au rang des super stars.

– Tu veux visiter un peu ? proposa celui-ci. Je vais te montrer les étages. Macon s'en fiche.

– Ah bon ? Tu en as déjà marre ?

Il sourit.

– Non, mais je veux bien te voir toute seule quelques minutes.

Ils montèrent un escalier au tapis rouge, le long de murs couverts de portraits. Les pièces du haut étaient aussi belles que celles du rez-de-chaussée, quasi princières.

En revanche, Gillian s'y sentait mieux parce que la musique y résonnait moins fort qu'en bas et qu'elle aimait ce beau marbre qui lui donnait l'impression de se balader dans un musée.

Par la fenêtre, on apercevait les illuminations clignotantes dans l'atmosphère mauve du soir.

– Tu sais, confia David, je suis content que tu n'aies pas accepté de boire.

Elle fit volte-face :

– On dirait que ça te surprend ?

– C'est juste que… tu as tout d'un coup l'air trop adulte ! Comme si tu avais fait tellement d'expériences…

– Moi ? J'ai plutôt l'impression qu'on parle de toi, là…

En plus, je parie que c'est ce que tu aimes chez les filles.

Il se détourna en riant.

– Ah oui ! Le dur de dur. C'est vrai qu'avec Tanya, on aimait bien faire la fête. Mais il ne faut pas croire… je ne suis qu'un petit provincial qui essaie de s'en sortir. Je ne cherche pas les ennuis, au contraire, je les évite autant que possible.

Ce portrait lui ressemblait si peu que Gillian se mordit les lèvres pour ne pas pouffer. Pourtant, il paraissait sincère.

– Je reconnais que j'étais un peu comme ça, avant. Et j'ai fait des choses dont je ne suis pas très fier. Mais, tu sais… Je ne demande qu'à réparer, si possible.

– C'est comme si une nouvelle partie de toi cherchait à s'exprimer.

Il parut surpris puis finit par reconnaître :

– Ouais, quelque chose comme ça.

Sur sa lancée, Gillian continua :

– Je crois que les gens ont parfois besoin de...
d'extérioriser tous leurs côtés, ce qui doit leur permettre de se sentir plus... entiers, accomplis.

– Oui, quand c'est possible.

Il hésita et Gillian préféra ne rien ajouter car elle
avait l'impression qu'il voulait dire autre chose, que
s'il l'avait amenée ici, c'était pour lui parler seul à
seule.

– Ça va te paraître idiot, reprit-il soudain, mais je
ne me sens pas accompli du tout. À vrai dire...

Dans la pièce semi-obscure, Gillian ne voyait que
son profil tandis qu'il secouait la tête et poussait un
soupir.

– Bon, continua-t-il, ça va te paraître encore plus
débile que je n'aurais cru, mais il faut que je te
raconte, je n'y peux rien.

Dans un mouvement solennel, il lui fit de nouveau face et déclara, d'un ton à la fois déterminé et
penaud :

– Depuis le jour où je t'ai trouvée dans la neige,
j'ai l'impression que je ne pourrai pas me sentir
accompli sans... enfin, sans toi.

Soudain, l'univers ne fut plus que pulsions et
battements de cœur qui répondaient à ceux de
Gillian.

– Je... souffla-t-elle.

– Je sais. Je sais quel effet ça peut faire. Excuse-moi.

– Non... Ce n'est pas ce que j'allais dire.

L'air buté, il s'était retourné pour regarder par la fenêtre mais, quand il entendit cette dernière phrase, il revint vers elle, le visage empreint d'espoir.

– J'allais dire que je te comprends.

Il parut avoir du mal à la croire.

– C'est vrai ?

– C'est vrai.

Alors il vint vers elle et elle lui ouvrit les bras. Il n'y avait pas là que de l'attraction physique et cela pouvait sembler fou, songea-t-elle, mais c'était encore plus... spirituel que physique. Comme s'ils appartenaient l'un à l'autre et se retrouvaient enfin.

David la serrait contre lui, dans un élan à la fois totalement étrange et naturel. Réfugiée contre ce corps tiède et solide, elle ferma les yeux et laissa tomber la tête sur son épaule. Et tout était dit.

Une fabuleuse sensation de découverte habitait soudain Gillian et elle avait l'impression que ce n'était là qu'un début, qu'il lui suffirait de rouvrir les yeux, de contempler ceux de David à ce moment-là pour... pour que le monde entier en soit transformé...

– *Gamine ?* souffla paisiblement la voix à son oreille. *Désolé de te dire ça, mais je dois interrompre ce moment. Il faut te rendre dans la chambre des parents.*

Elle entendit à peine et n'y prêta guère attention.

– *Gillian, c'est sérieux. Il se passe quelque chose que tu dois savoir.*

– Angel ?

– *Dis-lui que tu vas revenir dans une minute. C'est important !*

Impossible d'ignorer davantage ce ton impérieux. Gillian se redressa :

– David, donne-moi une minute. Je reviens.

Il parut comprendre :

– Si tu veux.

Ce fut elle qui eut du mal à se détacher de lui et, même lorsqu'elle se fut éloignée, elle sentait encore le contact de son corps.

– *Tu as intérêt à ne pas m'avoir dérangée pour rien, Angel,* marmonna-t-elle intérieurement en plissant les paupières pour distinguer quelque chose dans le corridor.

– *Va jusqu'au bout, dans la chambre des parents. Entre. N'allume pas.*

C'était une pièce immense, pleine d'ombres immobiles. En entrant, Gillian heurta un meuble.

– *Attention ! Tu vois cette lumière, là ?*

C'était le rai qui encadrait la double porte du fond.

– *Fermée à clef. Tu vois, c'est la salle de bains. Voilà ce que tu vas faire : continue sur la droite et tu vas trouver une autre porte, celle du placard. Tu vas entrer dedans.*

– *Pardon ?*

Angel reprit patiemment :

– *Tu entres dans le placard et tu colles l'oreille à la paroi.*

Fermant les paupières, Gillian s'exécuta, à peu près aussi à l'aise que si elle était en train de cambrioler un appartement.

C'était un dressing, assez immense mais rempli de vêtements. Gillian se dit qu'on pourrait aussi bien croire qu'elle cherchait à en voler. Jusqu'à ce qu'Angel l'arrête net.

– *Là ! Maintenant, tu colles l'oreille au mur de gauche.*

Ce qu'elle fit sans rouvrir les yeux, comme si cela pouvait mieux l'aider à supporter l'obscurité des lieux. Elle dut se faufiler entre une housse et un lourd vêtement de velours puis se pencha jusqu'à ce que son oreille rencontre l'obstacle du bois.

– *Angel, Je n'y crois pas ! Tu vois ce que tu me fais faire ? Je me sens complètement nulle et j'ai peur : si on me trouve là…*

– *Écoute, c'est tout. D'accord ?*

Au début, elle crut ne percevoir que les battements de son cœur. Puis, clairement, elle distingua deux voix qu'elle reconnut aussitôt.

10

— ... **M**ais seulement si tu me jures que tu n'as rien fait.

— Combien de fois je vais devoir le répéter ? J'ai passé la semaine à te le dire. Je ne lui ai jamais raconté un mot. Juré.

La première voix, dure et légèrement suraiguë, appartenait à Tanya, la seconde, à Kim la Gymnaste. Malgré ses dénégations, celle-ci semblait avoir peur.

— *Angel, qu'est-ce qui se passe ?*

— *Ça va mal.*

— Bon, lança la voix de Tanya. Tu as une chance de le prouver en me donnant un coup de main.

— Écoute, je suis désolée pour votre rupture, avec David. Mais Gillian n'y est sûrement pour rien...

— Elle y est complètement pour quelque chose. L'affaire avec Bruce était finie, tu le sais très bien. David n'avait aucune raison de l'apprendre... il a fallu qu'elle ouvre la bouche. Et d'où elle le tient, d'abord ?

– Ne recommence pas !

Kim semblait maintenant sur le point de crier.

– Je n'y suis pour rien.

– C'est bon, je te crois. Dans ce cas, on n'a aucune raison de se disputer. On doit se soutenir. Tu me passes cette brosse ?

Dans le silence qui suivit, Gillian imagina Tanya en train de coiffer sa chevelure brune devant la glace.

– Alors, qu'est-ce que tu vas faire ? interrogea la voix de Kim.

– Les piéger tous les deux. Dans un sens, je suis encore plus furieuse après lui. Il n'aurait pas dû me laisser tomber, il le savait et il va le regretter.

Coincée dans sa penderie, Gillian faillit éclater de rire. Quand elle se représentait la scène, ça faisait tellement… série télé. Elle dans un placard en train d'écouter deux personnes qui complotaient contre elle. Grotesque.

Pourtant c'était la pure vérité.

Pour mieux se sentir accrochée à la réalité, elle se redressa légèrement.

– *Angel, même quand ils menacent de se venger, les gens ne passent jamais à l'acte, pas vrai ? C'est juste du* bavardage. Je n'arrive même pas à croire ce que j'entends. C'est tellement… absurde…

– Tu l'entends parce que je t'ai amenée ici. Tu as un ami invisible qui t'amène juste aux endroits critiques aux bons moments. Alors tu ferais bien de le croire quand elles parlent de se venger. Tanya n'a jamais lancé ce genre de projet au hasard.

La future cadre, pensa faiblement Gillian.

– Future P-DG, oui. Elle n'a jamais été aussi déterminée, gamine. Et elle sait ce qu'elle fait.

Gillian n'avait plus envie de rire.

En collant à nouveau l'oreille contre la paroi, elle comprit qu'elle avait manqué une partie de la conversation.

– … d'abord David ? disait Kim la Gymnaste.

– Parce que je sais comment m'y prendre avec lui. Il veut entrer à l'université de l'Ohio, tu sais ? Il a envoyé sa demande d'inscription en octobre. Ça se présentait déjà plutôt mal parce qu'il n'a pas une moyenne extraordinaire, sauf qu'il a très bien réussi l'examen d'entrée. C'était compliqué mais je vais complètement lui barrer la route.

Elle avait articulé cette dernière phrase sur un ton dangereusement mielleux.

– Comment ? demanda Kim impressionnée.

– En écrivant à l'université, et aussi à notre

principal et à madame Renquist, la prof de littérature, et au grand-père de David qui devait lui payer son inscription.

— Attends. Si tu dis du mal de lui, on va tout de suite penser que c'est par dépit...

— Je vais leur dire qu'il a triché l'année dernière pour la dissertation de fin d'année, qu'il n'a fait que l'acheter à un étudiant de Philadelphie.

Kim poussa un soupir si violent que Gillian l'entendit.

— Comment tu le sais ?

— Parce que j'ai tout organisé, bien sûr. Je voulais augmenter sa moyenne pour lui permettre d'entrer à l'université à coup sûr. Mais ça, il ne pourra jamais le prouver. C'est lui qui a payé.

Silence. Et Kim de suggérer avec une désinvolture un peu forcée :

— Mais tu vas bousiller sa vie.

— Je sais, lâcha Tanya satisfaite.

— Alors... qu'est-ce que tu veux que je fasse ?

— Tiens-toi prête à répandre ce bruit... tu es douée pour ça. Je vais préparer les lettres et les envoyer lundi ; c'est là que tu pourras lâcher les chiens... parce que je veux que tout le monde soit au courant. Vas-y, lance Radio Trottoir !

Elle riait comme une folle.

– Ça va. Compte sur moi, souffla Kim de plus en plus effarouchée. Bon, je redescends, maintenant. Tu me prêtes la brosse, une minute ?

– Tiens.

Claquement sur le lavabo.

– Ensuite, on s'occupera de Gillian, reprit Tanya. Je te dirai ce que je lui réserve.

– Ouais…

La réponse de Kim avait été quasi inaudible. Après quelques autres claquements légers, il y eut un bruit de porte qui s'ouvrait et se refermait. Et puis le silence.

Gillian ne bougea pas de son dressing.

Au bord de la nausée. Quelle malade, cette Tanya… quelle pourriture ! La cervelle rongée par la haine.

En même temps, très intelligente. C'était Angel qui l'avait dit.

– *Angel, qu'est-ce que je dois faire ? Elle ne plaisante pas, elle va le démolir. Et je ne vois pas comment je pourrais l'en empêcher.*

– *Il y a bien quelque chose…*

– *Elle n'écoutera rien si on veut la raisonner, j'en suis sûre. Personne ne pourra la faire changer d'avis. Et les menaces ne serviront…*

– *C'est à toi d'intervenir.*

– Pardon ?

– C'est un peu compliqué. Et... bon, il se pourrait que tu n'aies pas envie de faire ça, gamine.

– Je ferais n'importe quoi pour David, répliqua Gillian sans l'ombre d'une hésitation.

Bizarrement, il lui restait encore de ces certitudes.

– Parfait, alors accroche-toi à cette idée. Je t'expliquerai tout une fois qu'on sera rentrés à la maison. Il ne faudrait d'ailleurs plus tarder. Mais tu dois d'abord aller chercher quelque chose dans la salle de bains.

Elle se sentait calme et sûre d'elle, tel un jeune soldat pour sa première mission en territoire ennemi. Angel avait une idée. Tant qu'elle ferait exactement ce qu'il lui disait, tout ne pourrait que bien se passer.

Elle entra dans la salle de bains et suivit ses instructions sans poser de question. Après quoi elle rejoignit David et lui demanda de la ramener chez elle.

– Je suis prête. Dis-moi maintenant ce que j'ai à faire.

Gillian était assise sur son lit, dans son pyjama à nounours. À minuit passé, le calme régnait dans la maison et seule restait allumée la lampe de sa table de chevet.

– Oui, je crois bien que tu es prête, en effet.

La voix tranquille et pensive résonnait en dehors de sa tête. Dans l'air, à quelques pas de son lit, une lumière se forma.

Et puis apparut Angel, dans la position du lotus, les mains sur les genoux, lévitant au-dessus du sol. Entouré d'un halo aux couleurs d'aurore boréale, il la fixait d'un regard interrogateur.

Comme chaque fois qu'elle l'apercevait, Gillian ressentit une réaction physique, une sorte de choc. Il était si beau, si aérien, si différent de tout ce qu'elle connaissait !

Et, là, son regard paraissait plus intense que jamais.

Cela lui fit un peu peur, mais elle se maîtrisa. Il lui fallait songer à David, lui qui l'avait ramenée chez elle sans poser de questions quand elle lui avait assuré se « sentir mal », une heure auparavant. Il ne se doutait pas un instant de ce qui l'attendait lundi.

– Dis-moi ce que je dois faire, demanda-t-elle à Angel.

Même si elle ne voyait pas comment arrêter Tanya, elle était prête à essayer et se doutait que cette intervention n'aurait rien d'agréable... peut-être rien de légal non plus. Tant pis.

Si bien que les paroles d'Angel la déçurent quelque peu.

– Tu sais que tu n'es pas comme tout le monde ?

– Hein ?

– Tu t'es toujours distinguée des autres... et, au fond, tu l'as toujours su.

Gillian ne savait trop que répondre. Parce que même si ça ressemblait terriblement à une phrase toute faite, c'était vrai. Elle se sentait différente, d'abord pour avoir failli mourir, ensuite pour s'en être sortie grâce à un ange, ce qui n'arrivait certes pas tous les jours, enfin pour la popularité qu'elle venait d'acquérir au lycée. Mais, en son for intérieur, cela remontait à beaucoup plus loin, à quelque part dans son enfance. À l'époque, elle avait cru que c'était le cas de tout un chacun... qu'on se voyait différent des autres, si ce n'était meilleur.

– C'est le cas de tout un chacun, confirma Angel.

Gillian en éprouva un léger choc. Cela l'étonnait encore de constater que ses pensées les plus profondes ne restaient plus secrètes.

– Mais il se trouve que, pour toi, c'est la vérité, continua Angel. Dis-moi, que sais-tu de ton arrière-grand-mère Elspeth ?

– Pardon ? C'est une vieille dame et... euh... elle vit en Angleterre et m'envoie toujours des cadeaux pour Noël...

Gillian gardait un vague souvenir d'une photo représentant une femme aux cheveux blancs et portant des lunettes à monture blanche, un tailleur de tweed et des chaussures plates. Elle caressait un pékinois dans un petit manteau rouge.

– Elle a grandi en Angleterre mais elle est née américaine, expliqua Angel. Elle avait à peine un an quand elle a été séparée de sa grande sœur Edgith, qui l'élevait. C'était pendant la Première Guerre mondiale. On l'a crue orpheline et elle a été confiée à un couple britannique.

– Ah bon ? C'est très intéressant.

Gillian était non seulement stupéfaite mais exaspérée.

– Mais quel rapport...

– Avec David ? Le voilà : ton arrière-grand-mère n'a pas grandi au sein de sa vraie famille, avec sa vraie sœur. Sinon, elle aurait connu ses vrais ancêtres. Elle aurait su...

– Quoi ?

– Qu'elle était sorcière.

Un long, très long silence s'ensuivit. Si Gillian avait tout de suite su quoi répondre, les paroles n'avaient pu sortir de sa gorge sèche. D'ailleurs les sorcières n'existaient pas. C'étaient des histoires... comme les anges...

– Les anges... finit-elle par articuler d'une voix étranglée.

Elle avait l'impression de perdre la tête, comme si elle n'avait plus aucune certitude à quoi se raccrocher.

Parce que les anges existaient bel et bien. Elle en avait un devant elle, qui lévitait à près d'un mètre du sol, qui entendait chacune de ses pensées et pouvait disparaître quand il le voulait. Alors si les anges existaient...

Il faut croire aux miracles. Elle avait lu ce slogan quelque part et, à ce souvenir, elle porta les mains à sa bouche comme pour retenir ce qui montait en elle, cri ou rire, elle ne savait pas trop.

– Mon arrière-grand-mère est une sorcière ?

– Pas vraiment. Elle le serait si elle connaissait les origines de sa famille. C'est la base de tout, tu sais. Ton arrière-grand-mère a ça dans le sang, comme ta grand-mère et ta mère, et donc comme toi, Gillian. Alors maintenant que tu sais...

Il avait prononcé cette dernière phrase d'un ton très doux, aussi mesuré que s'il était en train de placer la dernière pièce d'un puzzle.

Le rire de Gillian s'était bloqué, elle était prise de vertige, comme si elle se retrouvait soudain au bord d'une falaise.

– Je... j'ai ça dans le sang...

– N'aie pas peur de le dire. Tu es une sorcière.

– Angel...

Son cœur battait soudain avec une violence inouïe et pourtant trop lentement.

– Je t'en prie ! Je n'y comprends rien. Et... non, je n'en suis pas une.

– Une sorcière ? Tu ne sais pas encore ce que ça signifie, pourtant tu en montres déjà les signes. Tu te rappelles quand la glace s'est fendue dans la salle de bains ?

– Je...

– Et quand la vitre a explosé dans la cafétéria ? Tu m'as demandé si c'était moi qui avais fait ça. Mais non, c'était toi. Tu étais furieuse et tu as déchaîné tes pouvoirs... sans t'en rendre compte.

– Non...

– Ça fait peur, je sais. Quand on ne sait pas s'en servir on peut provoquer toutes sortes de cataclysmes, envers les autres autant qu'envers soi. Tu ne comprends pas, gamine ? Regarde ce qui est arrivé à ta mère.

– Quoi, ma mère ?

– Elle aussi c'est une sorcière. Innée, comme toi. Elle a des pouvoirs mais ne sait pas les canaliser et n'y comprend rien, alors ça lui fait très peur. Quand elle a commencé à avoir des visions...

– Des visions !

Gillian se redressa avec l'impression de voir soudain une lumière s'allumer dans son esprit, éclairer cinq années d'obscurité.

– Oui.

Les yeux violets d'Angel restaient fixes, sa physionomie, sombre.

– Ses hallucinations lui venaient avant de boire, pas après. Et c'étaient des visions psychiques, des images d'événements qui allaient se produire, ou qui auraient pu se produire, ou qui s'étaient produits longtemps auparavant. En tout cas, elle n'y comprenait rien.

– Oh mon Dieu...

Le corps parcouru de frissons, envahie par la chair de poule, Gillian ne put retenir ses larmes, non pas de tristesse mais de stupeur devant une telle révélation. *C'est ça ! Alors c'est donc ça ! Il faut absolument l'aider, la prévenir...*

– Je suis d'accord. Mais, d'abord, tu dois apprendre à te contrôler. Et puis ce n'est pas vraiment une chose qu'on peut lui dire de but en blanc. Il va falloir l'y préparer.

– Oui, oui… je vois. Tu as raison.

Elle cligna vivement des yeux en essayant de reprendre son souffle, de réfléchir.

– En ce moment, reprit Angel, elle est stable. Un peu déprimée mais stable. On peut attendre. Tandis que pour Tanya…

Gillian avait presque oublié celle qui était à l'origine de leur discussion.

– Ah oui, Tanya !

Mais elle pensait *David*.

– Tu peux faire quelque chose de très simple contre Tanya… maintenant que tu sais qui tu es.

– Oui, d'accord. Tu crois que David pourra revenir si maman se rend compte de sa vraie nature et comprend tout ?

– Je crois que c'est possible. Mais écoute-moi. Pour t'occuper de Tanya…

– Angel, murmura-t-elle le cœur lourd, maintenant que j'y pense… c'est méchant, une sorcière, non ? Tu ne devrais pas désapprouver tout ça ?

Il se prit la tête dans les mains.

– Si je pensais ça, tu crois que je serais ici à te guider ?

Gillian faillit éclater de rire. Tout cela était tellement incongru, cette pâle aura qui le cernait, cette voix sifflée entre ses dents. Tout d'un coup, une idée la saisit et elle demanda d'une voix hésitante :

– Tu es venu pour me guider ?

Il leva la tête, la contempla de ses yeux irréels.

– D'après toi ?

Gillian pensa que le monde ne correspondait pas exactement à ce qu'elle aurait cru. Et les anges non plus.

Le lendemain matin, elle se regardait dans la glace, comme la nuit où Angel l'avait incitée à se couper les cheveux, pour voir ce qu'elle était devenue. Maintenant, elle voulait voir Gillian la sorcière.

Rien en elle n'avait vraiment changé depuis ce moment-là. Pourtant, elle avait désormais l'impression d'apercevoir des choses nouvelles, une certaine lueur au fond de ses yeux, un petit air fantasmagorique dans ses traits, et ses pommettes si pointues... Comme une marque de fabrique, *made in* Pays des fées.

– Arrête de te regarder et viens faire les courses, lui lança Angel près d'elle dans son halo de lumière.

– D'accord.

En bas, elle prit les clefs du break de sa mère et

s'emmitoufla car il faisait un froid polaire après toute cette neige tombée dans la nuit. L'air glacial lui emplit les poumons telle une étrange potion.

Me voilà ensorcelée.

Elle sortit la voiture en marche arrière.

– *Où est-ce qu'on va, maintenant, à Houghton ?*

– *Pas vraiment, non. Ce n'est pas le genre de courses qu'on fait dans un centre commercial. Prends plein nord, vers Woodbridge.*

– *Il faut aller jusqu'à Woodbridge pour trouver de quoi s'occuper de Tanya ?*

– *Roule, ma puce.*

*
* *

La grand-rue de Woodbridge s'achevait sur une place bordée d'arbres tous décorés pour Noël, et les rues scintillaient d'illuminations. Ça faisait très carte postale.

– *Bon. Gare-toi ici.*

Gillian suivit les indications d'Angel et se retrouva dans un vieux bazar au parquet de bois craquant des années cinquante, regorgeant de toutes sortes de marchandises, et qui sentait le renfermé.

Elle s'arrêta, les yeux brillants, devant une jarre de bonbons à l'ancienne.

– Dirige-toi vers le fond. Tout au bout. Ouvre la porte et entre.

Un peu inquiète, Gillian ouvrit le panneau branlant, jeta un coup d'œil derrière pour se rendre compte qu'il ne s'agissait que d'une autre boutique, à peine éclairée, où régnait une odeur encore plus bizarre, à la fois délicieuse et médicinale.

– Il y a quelqu'un ? lança-t-elle poussée par Angel.

Elle perçut alors un mouvement derrière le comptoir.

Il y avait une fille assise là, pas plus de vingt ans, brune au visage remarquable, plutôt ordinaire à première vue, un visage de fille de la campagne, mais aux yeux d'une incroyable intensité.

– Euh… je peux regarder ? demanda Gillian à nouveau pressée par Angel.

– Allez-y. Je m'appelle Melusine.

Elle suivit d'un air tranquille les évolutions de Gillian le long des rayons ; celle-ci faisait mine de savoir exactement ce qu'elle cherchait mais elle ne voyait que des objets totalement inconnus, des pierres, des herbiers, des bougies de toutes les couleurs.

– *Ce n'est pas là*, marmonna la voix résignée d'Angel. *On va devoir lui poser la question.*

– Excusez-moi, lança Gillian en revenant vers la fille. Vous n'auriez pas du sang de dragon. Activé ?

L'expression de la vendeuse s'altéra.

– Jamais entendu parler de ça, déclara-t-elle bru-talement. Je me demande pourquoi vous cherchez ça.

Gillian eut soudain la chair de poule, comme si elle se sentait en danger.

11

Bien que tendue, la voix d'Angel lui parut calme :

– *Prends un stylo sur le comptoir. Le noir, ça ira. Maintenant, détends-toi et laisse-moi faire.*

Gillian le laissa faire. Elle n'aurait su décrire la suite avec des mots s'il lui avait fallu en parler, mais elle se contenta de regarder, dans une sorte d'horreur fascinée, sa propre main qui se mettait à dessiner sur un petit bloc facture.

Entre les lignes imprimées, elle traça un genre de croquis. Malheureusement, le stylo parut manquer d'encre de temps à autre si bien que Gillian n'aperçut bientôt qu'une espèce de gribouillis.

– *Montre-lui la copie carbone.*

Elle ôta la première feuille pour voir apparaître son dessin en dessous. Cela ressemblait à une fleur, un dahlia tellement griffonné qu'il en paraissait noir.

– C'est quoi, Angel ?

– *Un genre de mot de passe. Si tu ne le connais pas, elle ne te laissera rien acheter.*

L'expression de Melusine avait changé. Elle considérait Gillian avec un intérêt non camouflé.

– Unité, dit-elle. Je me demandais quand vous alliez vous découvrir. Vous avez bien l'allure... mais je ne vous ai jamais vue. Vous venez d'arriver dans la région ?

– *Réponds « Unité ». C'est leur façon de se saluer. Et dis-lui que tu ne fais que passer.*

– *Angel, c'est une sorcière ? Il y en a d'autres par ici ? Pourquoi je devrais mentir...*

– *Elle se méfie !*

La fille la dévisageait d'un drôle d'air, comme si elle essayait de capter une conversation. Cela fit peur à Gillian.

– Unité. Non, je suis de passage, répéta-t-elle après Angel. Il me faut le sang de dragon et, euh... deux statuettes de cire. De femmes. Et vous avez de la poudre de Selket ?

Melusine se cala dans son siège.

– Vous appartenez au cercle de Minuit ?

– *Quooooiii ? C'est quoi, le cercle de Minuit ? Pourquoi elle m'ignore ?*

– *C'est une espèce d'ordre de sorcières. Comme un*

club. C'est celui qui jette les sorts qu'il te faut en ce moment.

– Ah... les mauvais sorts, tu veux dire.

– Des sorts puissants. Dans ta situation, tu en as bien besoin.

Melusine allait et venait le long du comptoir et Gillian se demanda pourquoi elle ne se levait pas, jusqu'au moment où la jeune fille atteignit le rebord, révélant son fauteuil roulant. En fait, elle avait la jambe droite coupée à hauteur du genou.

Ce qui ne semblait pas la gêner. Elle fila à travers le magasin et revint peu après, deux paquets et une boîte sur les genoux. Elle les déposa sur le comptoir et dévoila deux poupées de cire rose, ainsi que ce qui ressemblait à des bâtons de craie rouge et aussi de la poudre vert jade.

Elle ne réagit pas lorsque Gillian paya et celle-ci se sentit dépréciée.

– Unité, dit-elle en rangeant son porte-monnaie.

Si on le disait en guise de bonjour, on pouvait aussi le dire en guise d'au revoir.

Les yeux noirs de Melusine scintillèrent d'étonnement et elle répondit lentement :

– Joyeuse fête,... et contente de vous retrouver.

Cela ressemblait presque à une invitation.

— Je n'y comprends rien.

— Réponds « Joyeuse fête » et sors de là, gamine.

Au-dehors, Gillian contempla la place d'un regard nouveau.

— Les sorcières de Woodbridge. Elles sont toutes par là, elles tiennent la crémerie et la quincaillerie ?

— Tu es plus près de la vérité que tu ne crois. Mais on n'a pas le temps de traîner. Il faut préparer ces sorts.

Elle jeta un dernier regard aux arbres illuminés, respira un bon coup, ses paquets à la main, puis regagna la voiture.

Assise sur son lit, la porte de sa chambre fermée à clef, Gillian examinait ses achats. Les sacs en plastique qui contenaient les pierres, la poudre, les poupées et les cheveux qu'elle avait recueillis sur la brosse dans la salle de bains de Macon.

Deux ou trois crins blonds et bouclés, trois ou quatre noirs, longs, brillants.

— Pas la peine de me dire à quoi ils vont servir, marmonna-t-elle en regardant droit devant elle. C'est l'heure du vaudou ?

— Bien vu, souffla Angel en se matérialisant. Les cheveux serviront à personnaliser les poupées, à les relier à leurs doubles humains. Il suffit d'en nouer un sur chacune et d'énoncer leurs noms à haute voix, Tanya ou Kimberlee.

Gillian ne bougea pas.

– Angel, écoute. Quand j'ai pris ces cheveux, je ne savais pas à quoi ils allaient me servir. Mais quand j'ai vu ces statuettes de cire, j'ai compris. Et cette Melusine avait une façon de me regarder...

– Elle ignore totalement à qui tu vas t'en prendre. Oublie-la.

– J'essaie juste de mettre les choses au clair. Je ne suis pas du genre à attaquer les autres, même si ça m'est déjà arrivé... dans mes rêves quand je voyais un pied géant écraser le prof de géométrie. Mais, dans la vie, je n'ai jamais fait de mal à personne.

Angel l'écoutait patiemment.

– Qui a dit que tu allais leur faire du mal ?

– Et ça, alors, ça sert à quoi ?

– À ce que tu voudras, ma puce. Tous ces objets font partie du matériel d'une sorcière, juste pour l'aider à utiliser ses dons naturels. Ils servent à concentrer ses pouvoirs pour un objectif précis. Quant à ce qui pourrait arriver à Tanya et à Kim, ça dépend de toi. Tu n'as pas à les blesser, juste à les arrêter.

– Je dois les empêcher de faire ce qu'elles ont projeté. Or, Tanya voudrait écrire des lettres, quant à Kim, elle veut répandre une rumeur...

– Bon, et si Tanya ne peut plus écrire ? Et si Kimberlee ne peut plus parler ? Ce ne serait... qu'un juste retour des choses.

Angel parlait d'un ton grave mais son regard brillait de malice.

Gillian se mordit les lèvres.

– Je crois que ça tuerait Kim de ne plus pouvoir parler !

– Oh, je suis sûr qu'elle s'en remettra !

Tous les deux se mirent à rire et Angel ajouta :

– Par exemple, si elle attrapait une méchante angine... et si Tanya avait le bras paralysé...

– Attends, pas paralysé...

– Je veux dire temporairement. Même pas ? Bon. Alors, qu'est-ce qui pourrait l'empêcher de taper sur un clavier ou de tenir un stylo ? Tiens, une méchante éruption de boutons ?

– Comment ça ?

– Une urticaire qui l'obligerait à se bander la main, au point de ne plus pouvoir utiliser ses doigts. Ça l'empêcherait de nuire un certain temps et ça nous donnerait le temps de trouver autre chose.

– Une urticaire... Oui, ça pourrait marcher. Ce serait parfait.

Gillian poussa un soupir et contempla son matériel.

– Explique-moi comment ça fonctionne !

Il la guida dans chacun de ses gestes et elle entoura les poupées de cheveux, les appela par leurs noms, les enduisit de sang de dragon, l'espèce de craie rouge. Puis elle frotta le cou de l'une, la main de l'autre de l'iridescente poudre de Selket.

– « Maintenant... que me soit donné le pouvoir des paroles d'Hécate. Ce n'est pas moi qui les prononce, ce n'est pas moi qui les répète ; c'est Hécate qui les prononce, c'est elle qui les répète. »

– *C'est qui, Hécate ?*

Elle transmit cette pensée à Angel sans l'articuler de peur d'anéantir le sort.

– Reste tranquille. Maintenant, concentre-toi. Prends la poupée de Tanya et invoque les streptocoques pyogènes, les bactéries qui vont provoquer son urticaire. Représente-la-toi. Visualise les boutons sur sa peau.

Gillian éprouva une certaine satisfaction à remplir cette tâche, elle ne pouvait le nier. Elle imaginait la main fine de Tanya, prête à signer une lettre destinée à briser l'avenir de David. Et puis les pustules qui apparaissaient, les démangeaisons qui devenaient insupportables, les rougeurs qui s'étendaient sur sa peau, et encore ces démangeaisons…

C'est marrant.

Après quoi, elle s'occupa de Kim.

Quand elle eut fini, elle déposa les deux poupées dans une boîte à chaussures qu'elle glissa sous son lit. Puis elle se redressa, rouge et triomphante.

– C'est fini ? J'ai réussi ?

– Oui. Tu es une sorcière accomplie, maintenant. Au fait, Hécate est la reine des sorcières, leur ancienne souveraine. Et tu lui es particulièrement attachée car tu descends directement de sa fille Hellewise.

– Vraiment ?

Gillian s'était redressée, comme renforcée par ses pouvoirs, comme si elle les sentait répandre en elle une éclatante énergie, comme si elle pouvait tenir le monde entre ses doigts et dégageait soudain une aura.

C'est vrai ?

– Ton arrière-grand-mère Elspeth était une Harman, les Femmes de la Terre, la lignée d'Hellewise. La sœur aînée d'Elspeth, Edgith, est devenue une grande maîtresse des sorcières.

Comment Gillian avait-elle pu se croire la plus banale des filles ? Comment contester des faits aussi patents ? Elle appartenait à une importante famille de sorcières, elle faisait partie d'une grande tradition. Elle était quelqu'un d'extraordinaire.

Et se sentait infiniment puissante.

Ce soir-là, son père téléphona. Il voulait savoir si elle allait bien et lui dire qu'il l'aimait. Tandis que tout ce qui l'intéressait, elle, c'était s'il comptait rentrer à la maison pour Noël.

– Bien, sûr que je serai là. Je t'embrasse.

– Moi aussi.

Pourtant, elle raccrocha sans joie.

– *Angel, il va falloir réfléchir à ça aussi. Il existe un sort que je pourrais exercer sur lui ?*

– *Je vais voir.*

Le lendemain matin, elle entra gaiement au lycée, cherchant des yeux quelqu'un à qui parler et, apercevant les cheveux roux, ultra courts de J. Z. le Mannequin, elle lui adressa un signe.

– Ça va, J. Z. ?

Celle-ci posa sur elle ses yeux bleu-vert :

– Tu es au courant pour Tanya ?

Le cœur de Gillian s'emballa.

– Non, répondit-elle avec une totale sincérité.

– Elle a une effroyable urticaire, ou une infection ou je ne sais quoi. Comme si elle était tombée dans un buisson d'orties. Ça la rend folle.

Comme à son habitude, J. Z. parlait lentement, l'expression un peu absente. Néanmoins, Gillian perçut un rien de satisfaction sous ses airs de ne pas y toucher.

– La pauvre !

– C'est sûr, répondit J. Z. avec un sourire neutre.

– J'espère que ce n'est pas contagieux, reprit Gillian en songeant à Kim.

À quoi J. Z. se contenta de répondre :

– En tout cas, on sait que David ne risque rien.

Là-dessus, elle s'éloigna.

– *Angel, voilà quelqu'un qui n'aime pas Tanya.*

– *Il y a beaucoup de gens qui n'aiment pas Tanya.*

– *C'est drôle. Pour moi, quand on était populaire ça voulait dire que tout le monde vous aimait. Maintenant, j'ai plutôt l'impression que ça signifie que tout le monde a peur de ne pas vous aimer.*

– *Bien vu. Mais laisse-les te détester tant qu'ils ont peur de toi. Cela dit, tu as rendu service à pas mal de gens en écartant Tanya du décor.*

Au cours de biologie, elle put constater l'absence de Kim et apprit que celle-ci avait également annulé ses entraînements de gymnastique pour la journée. Elle souffrait d'une espèce d'angine qui l'empêchait de parler. Là non plus, personne n'en paraissait particulièrement affecté.

– *Quand on est populaire, tout le monde se réjouit de vous voir malade ?*

– *On vit dans un monde impitoyable, gamine.*

Gillian sourit. Pour elle, l'important, c'était d'avoir protégé David. Et cela lui donnait l'extraordinaire impression de pouvoir faire quelque chose pour lui. Non pas qu'elle approuvât le fait qu'il ait acheté une dissertation qu'il avait ensuite fait passer pour son œuvre. Elle trouvait ça minable.

– *Mais je suis certaine qu'il le regrette maintenant. Ça doit faire partie de ces choses dont il n'est pas fier, comme il l'a dit. Il trouvera peut-être un moyen de réparer, par exemple en rédigeant une autre dissert et en expliquant tout à madame Renquist. Tu ne crois pas, Angel ?*

– *Hein ? Ah oui. Excellente idée !*

– *Parce qu'il ne suffit pas toujours de regretter, tu sais ? Il faut aussi s'amender. Angel ? Angel ?*

– *Je suis là. Je réfléchissais à ton prochain cours, à tes pouvoirs et tout. Tu sais qu'il existe un sort pour obtenir de l'argent ?*

– Ah oui ? C'est génial ! Enfin… l'argent pour l'argent, ça m'est égal, mais j'aimerais bien avoir une voiture…

Ce soir-là, allongée sur son lit, la tête sur son oreiller, Gillian songeait à sa chance.

Angel semblait s'être absenté pour le moment, elle ne le voyait pas, n'entendait pas sa voix. Pourtant, c'était à lui qu'elle pensait.

Il lui avait tant apporté ! Au point, parfois, de se livrer entièrement à elle, sûrement le plus beau cadeau qu'il pouvait lui faire. Quelle autre fille pouvait se vanter d'avoir deux magnifiques garçons auprès d'elle sans se rendre coupable d'infidélité, sans risquer de provoquer aucune jalousie ? Quelle autre fille pouvait avoir deux grands amours en même temps, sans rien faire de mal ?

Parce que c'était désormais sous cet angle qu'elle considérait Angel. Un grand amour. Non plus un halo de lumière ni une splendide apparition à la voix de métal en fusion. Il devenait presque quelqu'un de normal, à part son incroyable beauté, son esprit dévastateur et son essence surnaturelle. Dans la mesure où elle-même avait appris qu'elle n'était pas un être humain ordinaire, elle le trouvait moins inaccessible.

Et puis il la comprenait. Personne ne l'avait jamais comprise et personne ne la comprendrait jamais aussi bien que lui. Il connaissait ses plus profonds secrets, ses peurs cachées... et il l'aimait quand même. Son amour était flagrant chaque fois qu'il lui parlait, chaque fois qu'il apparaissait et la contemplait de son fabuleux regard.

Moi aussi, je suis amoureuse de lui. Et cela ne l'affolait pas du tout. Ça n'avait rien à voir avec ce qu'elle éprouvait pour David. Dans un sens, c'était plus puissant car nul ne pouvait être aussi proche d'elle qu'Angel, alors qu'il n'y avait aucun contact physique entre eux. Angel faisait partie d'elle à un niveau qu'aucun humain ne pourrait jamais atteindre. Leur relation n'avait rien à voir avec le monde humain. Elle était unique.

Une lumière apparut près du lit.

– Où étais-tu ? demanda Gillian.

– En fait, je vérifiais ce que devenaient Tanya et Kim. Tanya porte un bandage des doigts jusqu'à l'épaule et elle pense à tout sauf à écrire des lettres. Quant à Kim, elle se gave de pastilles pour la gorge en gémissant.

– Parfait.

Malgré un vague remords, Gillian ne pouvait cacher à Angel son sentiment de triomphe... de toute façon, ces filles le méritaient bien. Elles allaient regretter amèrement de s'en être prises à Gillian Lennox.

– Maintenant il va falloir envisager des solutions plus permanentes, reprit-elle. Et voir aussi ce qu'on peut faire pour mes parents.

– Voilà un moment que je m'en occupe.

Il la considérait d'une expression tellement intense qu'elle s'en alarma :

– Quoi ?

– Rien. Je te regarde. Tu es particulièrement en beauté ce soir, ce qui peut sembler bête alors que tu ne portes qu'un pyjama de flanelle orné de petits ours.

Elle en éprouva une délicieuse palpitation et baissa les yeux.

– Ce sont des chats mais je préfère celui avec des nounours. Tiens, si je lançais la mode au lycée ? On peut entreprendre n'importe quoi quand on en a les tripes !

– C'est sûr. Fais de beaux rêves, ma jolie.

– Et toi, arrête de dire des âneries.

Elle lui adressa un signe de la main. Cependant, elle avait encore le feu aux joues quand elle s'allongea et ferma les yeux. Cela faisait du bien, tous ces compliments. Et elle se sentait belle, puissante, extraordinaire.

– Tu es au courant pour Tanya ? interrogea Amanda la pom-pom girl le lendemain avant le déjeuner.

Elle venait de retrouver Gillian dans les toilettes des filles.

Cette dernière se regardait dans la glace. Un raccord avec le peigne... parfait. Et peut-être aussi un peu de rouge à lèvres. Aujourd'hui, elle voulait jouer les séductrices, l'œil charbonneux, la bouche rieuse et bien dessinée. Tiens, elle pourrait faire la moue au lieu de sourire. Elle essaya devant la glace en répondant d'un ton blasé :

– C'est du réchauffé.

– Non, je veux dire, les dernières nouvelles. On dirait qu'elle nous fait des complications.

Son rouge à la main, Gillian s'immobilisa :

– Quel genre de complication ?

– Je ne sais pas. De la fièvre, je crois. Et tout son bras qui vire au violet.

– *Angel ? Violet ?*

– *En fait, je dirais plutôt mauve. Détends-toi, fillette. La fièvre est un effet secondaire naturel en cas d'urticaire brutale.*

– *Mais...*

– *Regarde Amanda. Ça n'a pas l'air de la troubler plus que ça.*

– Non. Sans doute parce qu'elle sait que Tanya a touché à son mec. Ou elle a peut-être une autre raison de ne pas l'aimer. Mais bon, je ne tiens pas à voir Tanya vraiment malade.

– Tu en es sûre ? Honnêtement !

– Je t'assure. Pas trop malade, quoi. Juste un peu. C'est tout.

– Je ne crois pas qu'elle soit à l'article de la mort.

– Bon, tant mieux.

Gillian se sentait tout de même un peu gênée de faire toute cette histoire et elle avait presque envie d'aller rendre visite à Tanya pour voir où celle-ci en était ; cependant, elle parvint sans peine à dominer cette impulsion. Tanya n'avait que ce qu'elle méritait. Juste une bonne urticaire. Ce n'était pas si grave que ça.

D'ailleurs, Angel y veillait. Elle pouvait lui faire confiance.

Elle ajouta une dernière touche de rouge à lèvres, sourit à son reflet. Décidément, elle faisait une jolie sorcière.

Durant la sixième heure, des coursiers apportèrent des sucres d'orge commandés la semaine précédente au Vocal Jazz Club. On pouvait les envoyer, accompagnés d'un message et d'un ruban, à qui on voulait.

Gillian en reçut une telle masse que cela fit rire tout le monde, et Seth Pyles fit une photo destinée au livre de l'année. Après les cours, David vint mettre son nez dans les messages en faisant semblant d'être jaloux.

Ce fut une excellente journée.

– Contente ? demanda Angel cet après-midi-là.

David avait été retenu par sa mère pour qu'il l'aide à nettoyer la maison avant Noël, si bien que Gillian se retrouvait seule dans sa chambre. Ou plutôt seule avec Angel. Elle rangeait son linge en chantonnant.

– Ça ne se voit pas ?

– Pas avec le bruit que tu fais. Tu es vraiment contente ?

– Évidemment ! Enfin, mis à part l'histoire avec mes parents. Sinon, je suis très heureuse.

– Et maintenant que tu es devenue populaire, te voilà comblée.

– C'est... enfin, c'est différent de ce que j'avais imaginé. Ce n'est pas le but suprême de l'existence, non plus. En tout cas, je suis quelqu'un d'autre.

– Tu es une sorcière. Et tu as besoin d'autre chose que de sucres d'orge et de soirées.

Elle lui jeta un regard interloqué :

– Ça veut dire quoi ? Que je devrais lancer davantage de sorts ?

– La vie de sorcière ne consiste pas seulement à jeter des sorts. Je peux te montrer, si tu veux.

12

– Oui, dit simplement Gillian.

Les battements de son cœur avaient légèrement accéléré, mais plutôt d'impatience que de
crainte. Angel prenait des airs tellement mystérieux...

L'œil fixé sur la ligne bleue de l'horizon, il laissa
tomber :

– Tu n'as jamais eu l'impression de tout ignorer
de la réalité ?

– Très souvent, répliqua-t-elle sèchement. Surtout depuis que je te connais.

Il sourit.

– Je voulais dire avant. Quelqu'un a écrit sur le
« secret inconsolable » qui règne en chacun de
nous, sur la recherche de notre propre pays lointain, de ce que nous n'avons jamais connu, de
cette aspiration « à combler le gouffre béant qui
nous sépare de la réalité... à retrouver quelque

part dans l'univers ces choses dont nous nous sentons coupés »...

Gillian s'assit toute droite.

– Si, mais je n'ai jamais entendu personne en parler si bien. À propos du gouffre... on a toujours l'impression qu'il existe autre chose, quelque part, et qu'on en est exclu. Je croyais qu'en devenant populaire, je m'y retrouverais, en fait ça n'a strictement rien à voir.

– Comme si le monde détenait des secrets que tu voudrais percer.

– Oui, oui, c'est ça, souffla-t-elle fascinée. C'est parce que je suis une sorcière ? Tu veux dire que j'ai toujours ressenti cette vérité au fond de moi parce que, pour moi, il existe une autre réalité ?...

– Mais non. En fait, tout le monde ressent la même chose. Ça ne veut rien dire.

Gillian en tomba presque à la renverse.

– Rien dire pour les autres, précisa-t-il. Pour les autres, il n'existe pas d'endroit secret. Tandis que pour toi... enfin, ce n'est pas ce que tu crois ; il ne s'agit pas d'une réalité supérieure sur le plan astral ou je ne sais quoi. C'est aussi matériel que tes chaussettes, aussi réel que cette fille, Melusine, dans sa boutique de Woodbridge. Et c'est là que tu devrais te trouver. Dans un lieu où tu serais la bienvenue au centre des choses.

Le cœur de Gillian battait à tout rompre.

– Lequel ?

– On l'appelle le Night World.

Des ombres bleutées flottaient au sommet des collines. Gillian conduisait dans l'obscurité, en direction de l'est.

– Explique-moi encore ça, dit-elle à haute voix même si elle ne voyait pas Angel.

Un léger mouvement dans l'air, au-dessus du siège passager, une brume mouvante lui indiqua qu'il était là.

– Tu dis qu'il n'y a pas que des sorcières.

– Loin de là. Les sorcières ne sont qu'une race parmi beaucoup d'autres sortes de créatures de la nuit, du genre de celles dont on parle dans ce qu'on appelle les légendes.

– Alors qu'elles existent vraiment. Et qu'elles vivent en parallèle des humains normaux. Depuis toujours.

– Oui, mais c'est facile, tu vas voir. À première vue, elles ressemblent aux humains, autant que toi, par exemple.

– Attends, je suis humaine, tu permets, non ? Mon arrière-grand-mère est une sorcière mais elle a épousé un humain, de même que ma grand-mère et ma mère. Alors en ce qui me concerne, c'est plutôt... dilué.

– En l'occurrence ça n'a pas d'importance. Tu possèdes un sang de sorcière et tu peux t'en réclamer ; tes pouvoirs le prouvent sans conteste. Crois-moi, tu seras bien accueillie.

– Sans compter que je t'ai, toi, ajouta Gillian gaiement. Je veux dire, les humains ordinaires n'ont pas chacun un ange gardien personnel, si ?

– C'est-à-dire...

Angel parut se matérialiser à côté d'elle. Au point qu'elle crut le voir légèrement froncer les sourcils.

– Il vaut mieux ne pas trop leur parler de moi, continua-t-il. Ne me demande pas pourquoi, je n'ai pas le droit de t'expliquer ça. Mais je resterai avec toi, comme toujours. Je te soufflerai ce qu'il y aura à dire. Ne t'inquiète pas, on s'en tirera bien.

Gillian ne s'inquiétait pas. Elle se sentait plongée dans le mystère et habitée d'une espèce de fièvre interdite. Le monde entier lui apparaissait soudain magique, inconnu.

Même la neige paraissait différente, bleue, quasi

phosphorescente. Au bout de cette route peuplée de fermes, elle crut apercevoir une lueur par-dessus les collines et bientôt la pleine lune se leva, énorme, éblouissante.

Vas-y, songea-t-elle. Comme si elle laissait derrière elle les derniers lambeaux ordinaires de sa vie pour s'enfoncer davantage en ces lieux enchantés où tout, absolument tout pouvait arriver.

Elle n'aurait pas été autrement surprise si Angel lui avait ordonné de se garer dans quelque clairière enneigée, au milieu d'un rond de sorcières. Pourtant, quand il lui dit de tourner, ce fut pour s'engager sur une route qui menait aux faubourgs d'une petite ville.

– On est où, là ?

– À Sterback. Un trou perdu… sauf là où on va. Arrête-toi.

Ils stationnaient devant une bâtisse indéfinie, une sorte de demeure victorienne qui avait dû connaître des jours meilleurs.

Gillian descendit de voiture en regardant la lune qui se reflétait dans les fenêtres. En fait, ce devait être un ancien pavillon de chasse, complètement séparé du reste de la ville silencieuse. Elle frissonna dans le vent qui s'était levé.

– *Euh… on dirait qu'il n'y a personne.*

— *Approche-toi de la porte.*

Comme toujours, la voix d'Angel dans son esprit la rassura.

Pas une plaque à la porte, rien qui indiquât s'il s'agissait d'un bâtiment public ou privé. Cependant, le verre dépoli semblait légèrement éclairé de l'intérieur. Il dessinait une fleur, un iris noir.

— *L'Iris noir, c'est le nom de cet endroit. C'est un club...*

Angel fut interrompu par une soudaine détonation. Du moins, ce fut l'impression de Gillian. Sur le moment, elle ne comprit pas de quoi il s'agissait, juste une forme sombre qui arrivait sur elle dans un grand bruit, au point qu'elle faillit tomber en arrière. Puis elle se rendit compte qu'il s'agissait d'un aboiement. Un chien enchaîné qui hurlait en essayant de lui sauter dessus.

— *Je m'en occupe*, lança Angel d'un ton enjoué.

Une onde passa dans l'air et le chien tomba comme une masse, les yeux révulsés. Le silence revint et Gillian inspira une goulée d'air pour calmer le flot d'adrénaline qui l'envahissait. Elle s'était à peine reprise que la porte s'ouvrait derrière elle.

Un visage apparut dans l'obscurité ; elle n'en distingua pas bien les traits, ne vit que l'éclat des yeux.

– Qui êtes-vous ? demanda une voix grave et inamicale. Qu'est-ce que vous voulez ?

Gillian répéta les mots qu'Angel lui murmurait à l'oreille :

– Je suis Gillian, du clan Harman, et je voudrais entrer. Il fait froid dehors !

– Une Harman ?

– Je suis une Femme de la Terre, une fille d'Hellewise et si tu ne me laisses pas entrer, stupide loup-garou, je te ferai ce que j'ai fait à ton cousin, là derrière.

Elle tendit un doigt ganté vers le chien affalé sur le sol.

– *Loup-garou ? Angel, ça existe, les loups-garous ?*

– *Je te l'ai dit, toutes les créatures de légende existent.*

Gillian en ressentit une espèce de vertige. Sans savoir pourquoi, elle n'en continua pas moins à faire ce que lui disait Angel, malgré son estomac qui se tordait de plus en plus.

La porte s'ouvrit lentement et elle pénétra dans une entrée à peine éclairée ; la porte claqua derrière elle dans un bruit de fin du monde.

– Je ne vous avais pas reconnue, dit la silhouette derrière elle. Je vous prenais pour une vermine.

– Je te pardonne.

Suivant l'indication d'Angel, elle ôta ses gants.

– C'est en bas ?

L'autre acquiesça de la tête et elle le suivit vers une porte menant à un escalier. Dès que le panneau s'ouvrit, Gillian entendit de la musique.

Elle descendit vers une cave qui semblait beaucoup plus profonde que la plupart des caves. Et plus grande. Comme si un monde nouveau s'ouvrait à elle.

Il n'y faisait guère plus jour qu'au rez-de-chaussée, mais les murs sans fenêtres paraissaient vieux, autant que le sol carrelé en damier, et une odeur de moisi régnait sur les lieux. Cela grouillait de monde. Il y avait des gens assis sur des chaises disposées le long des murs, d'autres debout autour d'une table de billard dans un coin, d'autres encore devant deux vieux flippers et toute une foule massée le long d'un bar.

Ce fut là que se dirigea Gillian. Elle sentit les regards se braquer sur elle et eut l'impression qu'on la trouvait trop petite, trop jeune pour se percher sur un tabouret, s'accouder au comptoir. Dans cette pause négligée, elle essayait seulement de maîtriser les battements de son cœur.

La silhouette du serveur se tourna vers elle ; il

devait avoir au plus une vingtaine d'années et s'avança jusqu'à ce qu'elle découvre son visage.

Elle tressaillit. Il y avait quelque chose... qui n'allait pas. Ce ne fut sans doute qu'une impression procurée par les nouveaux pouvoirs de Gillian, pas le moins du monde par ses yeux. Mais quelque chose n'allait pas dans ce visage crispé par de si noires pensées qu'à côté l'esprit tordu de Tanya ressemblait à un jardin fleuri.

Le serveur vit très bien l'émoi qu'il lui causait.

– Tu es nouvelle, toi ! lança-t-il non sans délectation.

Apparemment, il aimait faire peur.

– Tu viens d'où ? ajouta-t-il.

Angel dut crier dans les oreilles de Gillian pour se faire entendre :

– Je suis une Harman, dit-elle aussi fermement que possible, et, tu as raison, c'est la première fois que je viens.

– *Bien, gamine. Ne le laisse pas t'intimider ! Maintenant, tu vas devoir leur expliquer qui tu es au juste...*

– *Tout de suite, Angel. Laisse-moi seulement... me reprendre.*

À vrai dire, elle était complètement perdue. L'effroi qui l'habitait depuis son entrée dans cette bâtisse atteignait un point inimaginable. C'était...

elle ne trouvait pas d'adjectif. Malsain. Corrompu. Effrayant.

Soudain, elle prit conscience d'autre chose. Jusque-là, elle n'avait pas vraiment distingué les visages des autres êtres présents autour d'elle. Rien que des yeux, et parfois des dents qui brillaient.

Mais maintenant... ils se rapprochaient, tels des requins flânant sans but avant de se rassembler dans un dessein précis. Il y avait des gens juste derrière elle, elle les sentait à sa peau qui se hérissait dans sa nuque, et il y avait des gens à côté d'elle, des deux côtés... Maintenant, elle voyait leurs visages.

Froids... sombres... infâmes. Pire encore, diaboliques. Elle sentait ces gens capables de tout et prêts à s'en réjouir. Leurs yeux papillotaient, scintillaient, brillaient... comme ceux d'animaux dans la nuit... et ils se mettaient à sourire et elle voyait leurs dents, de longues et fines canines en pointes. Des crocs...

Toutes les créatures de légende...

Prise d'une folle panique, elle allait y céder lorsque deux mains puissantes se posèrent sur ses épaules.

– Si on sortait faire un tour ? proposa une voix derrière elle.

Et puis tout s'embrouilla. Angel criait encore mais, assourdie par les battements de son cœur, Gillian ne l'entendait plus vraiment. D'autant que ces mains la tiraient presque de force loin du bar. Les silhouettes aux diaboliques figures reculaient, la plupart crispées dans un sinistre rictus.

– Amuse-toi bien ! cria quelqu'un.

Gillian était poussée dans l'escalier, refoulée à travers les couloirs obscurs. Un souffle d'air frais la fouetta lorsque la porte du dehors s'ouvrit et, aussitôt, elle se sentit mieux. Elle tenta de se débarrasser de la poigne de fer qui la bousculait mais cela ne servit à rien.

Elle se retrouva dans la neige, s'éloignant de la maison. La rue était complètement déserte.

– C'est ta voiture ?

L'étreinte se desserrant quelque peu, Gillian fit volte-face dans un mouvement désespéré.

Le clair de lune donnait à la neige une texture de satin et reflétait les ombres dans d'éclatants reflets indigo.

La personne qui avait ainsi entraîné Gillian était un garçon à peine plus âgé qu'elle. Mince et élégant, les cheveux blond cendré, il avait les yeux légèrement tombants. Quelque chose dans son attitude évoquait l'indolence trompeuse d'un prédateur.

Au moins son visage n'avait-il rien de malsain, au contraire des autres. Il était figé, sévère, quelque peu menaçant, mais pas malveillant.

— Écoute, commença-t-il d'une voix qui sonnait juste elle aussi. Je ne sais pas qui tu es ni comment tu es arrivée jusqu'ici, mais tu ferais mieux de retourner chez toi. Parce que, tu peux dire ce que tu veux, tu n'es pas une Harman.

— Comment le sais-tu ? lança-t-elle avant qu'Angel ait pu lui souffler une réponse.

— Parce que je fais moi-même partie du clan Harman. Je suis Ash Redfern. Tu ne vois même pas ce que ça signifie, on dirait ? Si tu étais une Harman, tu saurais que nos familles sont liées.

— *Tu es une Harman et tu es une sorcière*, éructait Angel. *Dis-le-lui ! Dis-le-lui !*

Mais le garçon poursuivait :

— Ils te mangeront toute crue s'ils l'apprennent. Ils ne sont pas aussi… indulgents envers les humains que moi. Alors je te conseille de vite regagner ta voiture et de filer pour ne jamais revenir, sans parler à personne de ce que tu as vu ici.

— *Tu es une sorcière oubliée ! Tu n'es pas humaine. Dis-le-lui !*

— Comment se fait-il que tu sois aussi indulgent ?

Elle ne pouvait s'empêcher d'admirer ses yeux qu'elle avait crus tout d'abord ambrés comme ceux de Steffi, mais ils se révélaient plutôt vert émeraude.

Il la dévisagea d'un air intrigué puis sourit, certes d'un sourire indolent mais qui serrait le cœur.

– J'ai rencontré une fille humaine, l'été dernier, avoua-t-il comme s'il n'existait pas d'explication plus claire.

Puis il désigna la voiture :

– Va-t'en vite. Ne reviens jamais. Je ne fais moi-même que passer ; je ne serai pas toujours là pour te sauver.

– *N'entre pas dans la voiture. Dis-lui tout. Tu es une sorcière ; tu appartiens au cercle de Minuit. Ne t'en va pas !*

Ce fut la première fois que Gillian désobéit délibérément à un ordre d'Angel. Elle ouvrit sa portière d'une main tremblante, entra, jeta un dernier regard sur le garçon, Ash.

– Merci.

– Salut ! répondit-il en agitant les doigts.

Il la suivit des yeux alors qu'elle démarrait.

– *Retournes-y immédiatement ! Tu es autant chez toi là-bas que n'importe lequel d'entre eux. Ils n'ont*

pas le droit de te renvoyer. Fais demi-tour et
retournes-y !

— Arrête, Angel ! s'écria-t-elle. Je ne peux pas, tu
ne vois pas ? Je ne peux pas. Ils étaient affreux. Et
maléfiques.

Maintenant qu'elle se retrouvait seule, elle pouvait
donner libre cours à ses réactions. Son corps se mettait à trembler, ses yeux s'aveuglaient de larmes, son
souffle se bloquait dans sa gorge.

La présence d'Angel chatoyait sur le siège passager. Jamais il ne lui avait paru aussi agité.

— Pas malsains, rectifia-t-il. Juste puissants…

— Ils étaient maléfiques. Ils voulaient me faire
souffrir. J'ai vu leurs yeux !

Prise d'hystérie, elle se mettait à hurler :

— Pourquoi tu m'as amenée ici ? Alors que tu ne
voulais même pas que je parle à Melusine ? Elle
n'était pas comme eux.

Un violent frisson la saisit. Au point qu'elle faillit
perdre le contrôle de sa voiture. D'un seul coup, elle
avait l'impression que tout se liguait contre elle pour
lui nuire et cela la terrifiait ; elle se retrouvait seule
en pleine nuit sur une route déserte, loin de chez
elle, en compagnie de cet être improbable.

Elle ne savait plus qui c'était au juste. Tout ce
qu'elle pouvait affirmer, c'était qu'il n'avait rien d'un

ange. L'alternative logique s'imposait dès lors à son esprit : elle était seule au milieu de nulle part avec un démon...

– Gillian, arrête !

– Qui es-tu ? En réalité ? Qui ?

– Qu'est-ce que tu racontes ? Tu sais très bien qui je suis.

– Pas du tout ! cria-t-elle. Je ne sais rien de toi. Pourquoi tu m'as amenée ici ? Pourquoi tu voulais qu'ils me fassent du mal ? Pourquoi ?

– Gillian, arrête la voiture. Immédiatement !

Il avait lancé cet ordre d'un ton tellement impérieux qu'elle obéit. En sanglotant. De toute façon, elle ne pouvait plus conduire ni rien voir à travers ses larmes. Elle avait purement et simplement l'impression de perdre la tête.

– Allez, regarde-moi, maintenant. Essuie-toi les yeux et regarde-moi.

Elle finit par y parvenir et s'aperçut qu'il scintillait doucement, irradiant de la lumière depuis ses cheveux d'or jusqu'aux formes parfaites de son corps, en passant par son visage aux traits si classiques. Et puis il s'était apaisé, lui présentant une expression lisse et captivée dont la sérénité n'était gâchée que par l'inquiétude qu'il semblait éprouver pour elle.

– Bon, reprit-il. Je suis désolé de t'avoir fait peur. C'est l'effet que produisent parfois les nouveautés… on les trouve repoussantes, juste parce qu'elles sont différentes. Mais on parlera de ça plus tard. L'important, c'est que je n'ai jamais cherché à te nuire.

Une flamme violette dansait dans ses yeux, approfondissant encore leur intensité.

– Mais… tu… hoqueta Gillian.

– Jamais je ne pourrais te faire de mal. Parce que, tu vois, on est… âmes sœurs.

Il donnait à cette phrase le poids d'une monumentale révélation et Gillian avait beau ne pas voir ce qu'il voulait dire, elle éprouva un étrange tressaillement, comme si elle comprenait tout.

– Ça veut dire ?

– Ça arrive entre certains êtres qui appartiennent au Night World. Ça veut dire qu'il n'existe qu'un amour possible pour eux et, quand on le rencontre, on sait. On sait qu'on est faits l'un pour l'autre et que rien ne peut vous séparer.

C'était vrai. Chacune de ces paroles paraissait faire écho en Gillian à d'anciens souvenirs cachés. C'était là un sentiment que ses ancêtres avaient connu.

Ses joues séchaient, la crise était passée. Cependant, elle en sortait très fatiguée, traumatisée.

– Mais… si c'était vrai…

Elle ne parvint à pousser le raisonnement plus loin.

– Ne t'inquiète pas pour ça maintenant, souffla Angel d'un ton apaisant. On en reparlera plus tard. Je t'expliquerai ce que ça veut dire. Je voulais juste que tu saches que je ne te ferais jamais de mal. Je t'aime, Gillian. Tu t'en rends compte ?

– Oui, murmura-t-elle dans une sorte de brume.

Elle n'avait pas envie d'y réfléchir davantage, ni d'envisager les conséquences de ce qu'Angel lui disait.

Elle avait juste envie de rentrer chez elle.

– Détends-toi, je vais t'aider à conduire, dit-il. Ne t'inquiète pas. Tu vas très bien t'en tirer.

13

Le lendemain, Gillian tenta de se concentrer sur des aspects plus ordinaires de la vie.

Elle se dépêcha pour ne pas arriver en retard au lycée, mal reposée... aurait-elle fait des cauchemars ? Elle avait surtout besoin de se changer les idées, à tout prix. Heure après heure, elle se consacra à son travail mais aussi discuta, plaisanta avec ses amis en faisant des projets pour les différentes festivités autour de Noël.

Cela fonctionna. Angel se montra très discret, restant à l'arrière-plan. Les autres élèves étaient surexcités à l'idée qu'il ne restait que deux jours avant les vacances. L'après-midi, Gillian elle-même s'était laissé entraîner par leur bonne humeur.

– On n'a même pas de sapin, dit-elle à David, à cinq jours du réveillon. Il faut absolument que j'emmène maman en acheter un.

– Pas la peine, répondit-il en souriant. Ce soir, je

vais t'emmener dans un coin que je connais, c'est magnifique et les sapins y sont gratuits.

Il lui décocha un clin d'œil.

– Je prendrai le break, dit-elle. Ça me permettra d'en choisir un grand. J'aime bien les grands sapins de Noël.

Rentrée à la maison, elle ne cessa de pousser sa mère à préparer des cadeaux et à sortir les anciens décors. Pas un instant elle n'avait pu s'entretenir avec Angel pour savoir comment aborder en famille la discussion sur les sorcières.

Son humeur était encore au zénith quand elle passa prendre David après le dîner. Il semblait manquer un peu d'entrain mais elle ne songea pas à lui poser de questions, préférant parler de la soirée que Steffi Lockhart allait donner le vendredi suivant.

Le trajet fut long et elle avait à peu près épuisé le sujet lorsque David finit par indiquer :

– Ce doit être quelque part par là.

– Bon, je vais prendre un de ceux-ci.

Elle désignait des sapins de deux mètres qui poussaient le long de la route.

David sourit :

– Il y en a de plus petits plus loin.

Il y en avait tant qu'elle eut du mal à choisir. Finalement, elle opta pour un douglas à la forme parfaite d'une belle dame aux larges jupons, qui dégagea un merveilleux parfum lorsqu'elle le coupa, avec David, et qu'ils l'emportèrent vers la voiture.

– J'adore cette odeur, s'exclama-t-elle. Et tant pis si mes gants sont fichus.

David ne répondit pas. Il chargea tranquillement l'arbre dans le coffre qu'il referma doucement avant de rejoindre Gillian à l'avant. Elle démarra sans rien dire mais ne put se retenir longtemps de parler :

– Quoi ? Qu'est-ce qu'il y a ? Tu n'as presque pas ouvert la bouche de toute la soirée.

– Désolé, soupira-t-il en regardant par la fenêtre. Je... en fait, je pensais à Tanya.

Elle cligna des yeux.

– Quoi ? Tu cherches à me rendre jalouse, là ?

– Non, je voulais dire... son bras.

Un étrange picotement envahit le corps de Gillian et ce fut comme si toute sa vie en était bouleversée.

– Quoi, son bras ? insista-t-elle, paralysée d'anxiété.

– Tu n'es pas au courant ? Je croyais que quelqu'un t'aurait appelée. Elle a été transportée à l'hôpital, cet après-midi.

– Oh, mon Dieu !

– Oui, mais il y a pire. On a d'abord cru que cette espèce d'urticaire était un machin nécrosant… tu sais, la bactérie qui bouffe la peau.

Gillian ouvrit la bouche mais aucun son n'en sortit. Devant elle, la route semblait totalement obscure.

– Cory dit qu'on ne peut pas lui rendre visite… que son bras a triplé de volume. Il a fallu l'ouvrir pour permettre au sang de continuer à circuler jusqu'aux doigts. On craint qu'elle n'en perde un…

– Arrête ! souffla-t-elle en étouffant un cri.

David lui jeta un rapide coup d'œil.

– Excuse-moi…

– Non ! Ne dis rien !

Heureusement qu'elle continuait à conduire par pur réflexe car elle ne se rendait pratiquement plus compte de ce qui l'entourait, tant son esprit se concentrait sur le drame qui le rongeait.

– *Angel ! Tu as entendu ? Qu'est-ce qui se passe ?*

– *Évidemment que j'ai entendu,* marmonna-t-il d'une voix aussi lente que pensive.

– *Alors, c'est vrai ?*

– *Écoute, on en reparlera plus tard, d'accord, gamine ? Attendons…*

– *Non ! Avec toi, il faut toujours attendre ou remettre à plus tard. Je veux savoir maintenant : c'est vrai ?*

– Qu'est-ce qui est vrai ?

– Que Tanya est malade ? Qu'elle va perdre un doigt ?

– C'est juste une infection, Gillian. Un streptocoque pyogène. C'est toi qui le lui as infligé.

– Tu dis que c'est vrai. C'est vrai que j'ai jeté mon sort. Que je lui ai balancé cette bactérie bouffeuse de chair.

Elle jetait ses idées en vrac, sans vraiment parvenir à les assumer.

– Gillian, il fallait qu'on l'empêche de détruire David. C'était nécessaire.

– Non ! Non ! Tu sais très bien que je ne voulais pas vraiment lui faire de mal. Qu'est-ce que tu me racontes là ? Comment peux-tu dire ça ?

Elle frisait de nouveau l'hystérie ; elle se rendait vaguement compte qu'elle était toujours en train de conduire, que clôtures et arbres filaient le long de la route, que son corps restait assis dans la voiture, qu'elle respirait vite, à petites bouffées sèches, mais son être véritable se trouvait bien loin de là.

– Tu m'as menti. Tu m'as dit qu'elle allait bien. Pourquoi tu as fait ça ?

– Calme-toi, ma puce…

– Ne m'appelle pas comme ça. Comment tu peux rester là sans rien faire ? Tu es un robot ou quoi ?

C'est alors que la voix d'Angel changea. Il ne s'emporta pas, ne hurla pas. Ce fut pire. Il conserva un ton calme et quasi mélodieux, aimable.

– *Je rends justice, c'est le boulot des anges, tu le sais bien.*

Un éclair d'horreur traversa Gillian.

Il devenait fou.

– J'hallucine ! maugréa-t-elle à voix haute.

Si bien que David l'interrogea du regard :

– Hé... ça va ?

Tout à ses pensées fiévreuses, elle l'entendit à peine.

– *Je ne sais pas qui tu es, mais toujours pas un ange.*

– *Gillian, écoute-moi. On ne va pas se disputer. Je t'aime...*

– *Alors dis-moi comment guérir Tanya !*

Silence.

– *Bon, je trouverai seule. Je vais retourner voir Melusine...*

– *Non !*

– *Alors dis-le-moi ! Ou guéris-la toi-même si tu es vraiment un ange.*

Pause, puis :

– *Gillian, j'ai une idée. Je sais comment pousser David à t'aimer plus encore.*

– *Qu'est-ce que tu me chantes ?*

– *Il faut l'amener au bord de la mort. Après il te comprendra mieux. Il faut le faire mourir.*

Tout se brouilla. Gillian savait qu'ils entraient dans Somerset, une ville qu'elle connaissait bien, mais, pour le moment, elle se sentait plongée dans une brume grisâtre.

– Gillian !

Une main s'était posée sur la sienne, une vraie main, qui redressait le volant.

– Ça va ? Tu veux que je conduise ?

– Je vais bien.

Elle avait recouvré sa vision et ne songeait plus qu'à rentrer pour récupérer la poupée de Tanya dans la boîte à chaussures et tâcher d'arranger les choses. Elle devait rentrer… à l'abri…

Mais elle n'était nulle part à l'abri.

– *Tu ne comprends pas,* susurrait la voix dans son oreille. *David ne sera jamais comme toi sauf s'il fait lui aussi l'expérience de la mort. Il faut que tu le fasses mourir…*

– Non ! Arrête de me parler. Va-t'en.

Elle s'aperçut qu'elle avait de nouveau crié.

– Gillian… intervint David inquiet.

– *Je ne veux pas te faire de mal, Gillian. Je ne parle que de lui. On le fera revenir, je te le promets. Il* changerait juste un tout petit peu. *Mais il t'aimerait toujours.*

– *Le faire revenir... le corps de David.*

Angel voulait le corps de David pour alors prendre possession...

Ils étaient presque arrivés. Mais elle ne pouvait se débarrasser de la voix. Comment se débarrasser d'une chose qui occupe votre esprit ? Comment la faire taire... ?

– *Laisse-moi m'en charger, Gillian. Je prends la direction de la voiture. Je t'aime, Gillian.*

– Non !

Haletante, agrippant le volant à s'en meurtrir les mains, elle articula d'un ton saccadé :

– David ! Vas-y, conduis. Je ne peux plus...

– *Calme-toi, Gillian. Tu ne risques rien. Je te le promets.*

Mais elle ne pouvait lâcher le volant. La voix semblait provenir de son propre corps, se diffuser à travers ses muscles. Elle ne parvenait plus à lever le pied de l'accélérateur.

– Gillian, ralentis ! criait David. Attention !

– *Il n'y en a que pour une seconde...*

Le monde ressemblait soudain à un vieux film en noir et blanc dans lequel, plan après plan, le poteau téléphonique se rapprochait lentement mais inexorablement. La voiture se précipitait dessus et ils allaient le heurter sur la droite, là où David était assis. À la place du mort.

– *Non ! Je vais te haïr à jamais...*

Elle hurlait mentalement et le dernier mot parut se répercuter indéfiniment...

Jusqu'à ce que retentisse un bruit sourd qui les plongea dans l'obscurité.

– Je peux le voir ?

– Pas encore, ma chérie.

Sa mère rapprocha la chaise du lit d'hôpital.

– Certainement pas ce soir.

– Mais il le faut !

– Il est inconscient. Il ne se rendrait même pas compte de ta présence.

À nouveau prise de panique, Gillian dut se mordre les lèvres. Elle n'avait aucune envie que l'infirmière revienne lui faire une piqûre si elle se remettait à crier.

Voilà des heures qu'on l'avait amenée aux urgences, après que des gens arrivés dans des voitures aux lumières clignotantes les eurent tirés du break, elle et David. Seulement, si elle s'en était sortie indemne – « un miracle, même pas une égratignure ! » avait dit le secouriste à sa mère –

David n'avait pas repris connaissance depuis le choc.

Il faisait froid dans cette salle des urgences et, malgré toutes les couvertures dont on l'avait enveloppée, Gillian continuait de trembler, les mains bleuies et fripées.

– Papa revient à la maison, indiqua sa mère en lui caressant le bras. Il va prendre le premier avion. Tu le verras demain matin.

Gillian frémit.

– C'est dans cet hôpital que se trouve Tanya ? Non, ne demande pas, je ne tiens pas trop à le savoir.

Elle coinça les mains sous ses aisselles :

– J'ai si froid…

Et je me sens si seule. Pas de voix douce dans sa tête. Ce qui valait mieux, finalement, car elle ne tenait pas du tout à entendre Angel… enfin cette chose, ce monstre qui se disait ange. Mais ça faisait drôle après tout ce temps. Se retrouver seule… sans savoir où il pouvait se tapir. Lui qui percevait certainement ses pensées en ce moment même…

– Je vais chercher une autre couverture, dit sa mère. Rallonge-toi et tâche de rester tranquille, ma chérie. Ça te ferait peut-être du bien de dormir un peu.

– Je ne peux pas ! Il faut que je voie David.

– Chérie, je te l'ai déjà dit. Tu ne le verras pas ce soir.

– Tu as dit que je ne pourrais certainement pas le voir, pas que c'était sûr ! Tu as juste dit « certainement pas » !

L'intonation de Gillian grimpait dans les aigus mais elle ne parvenait pas à la modérer. S'ensuivirent des sanglots incontrôlables, étouffants.

Une infirmière ouvrit précipitamment le rideau blanc.

– Ce n'est rien, c'est normal, dit-elle à la mère de Gillian.

Et à celle-ci :

– Là, tiens-toi tranquille. Ça va t'aider à te détendre.

Gillian sentit une petite brûlure à la hanche. Peu après tout redevint flou et ses pleurs s'interrompirent.

Elle se réveilla dans son propre lit.

C'était le matin. Un pâle soleil éclairait la fenêtre.

La veille… ah, oui… Elle se rappelait vaguement sa mère et Mme Beeler, leur voisine, la ramenant de l'hôpital, la conduisant dans sa chambre, la déshabillant et la couchant. Après quoi, elle avait sombré dans un sommeil sans rêves salutaire.

Maintenant, elle était réveillée, reposée, avec les idées claires. Avant même de sortir ses pieds de sous les couvertures, elle savait exactement ce qu'elle avait à faire. La pendule de sa table de chevet indiquait midi et demi. Pas étonnant qu'elle se sente reposée.

Elle enfila en douce un jean et un sweat-shirt gris. Pas de maquillage et elle se donna juste un coup de peigne.

Marquant une pause, elle prêta l'oreille non seulement aux bruits de la maison mais également au monde qui occupait son cerveau.

Tout était tranquille. Mort. Pas un murmure, pas un signe de vie. Encore qu'elle sache bien qu'il ne fallait pas s'y fier.

Elle s'agenouilla pour tirer la boîte à chaussures de sous son lit. Les poupées de cire présentaient de violentes couleurs rouges et vertes, telles d'affreuses caricatures de Noël. Sur le coup, elle eut envie de s'en débarrasser, de les casser et de les oublier.

Mais qu'est-ce que cela ferait à Tanya et à Kim ? Elle préférait ne pas l'imaginer et alla chercher du coton dans la salle de bains, le trempa dans l'eau et nettoya l'iridescente poudre verte. En pleurant.

Elle s'efforçait de se concentrer comme elle l'avait fait en jetant ces sorts, imaginant la vraie main de Tanya, la voyant guérir.

– « Que me soit donné le pouvoir des paroles d'Hécate. Ce n'est pas moi qui les prononce, ce n'est pas moi qui les répète ; c'est Hécate qui les prononce, c'est elle qui les répète. »

Lorsque la poudre fut partie, elle remit les poupées dans la boîte, s'essuya les yeux et fouilla sur son bureau pour récupérer un petit carnet d'adresses à fleurs roses.

Assise par terre en tailleur, elle prit le téléphone et feuilleta le carnet.

Là.

Le numéro du portable de Daryl Novak. Elle le composa en hâte, ferma les yeux. *Réponds. Réponds.*

– Allô, dit une voix langoureuse.

– Daryl, c'est Gillian. J'ai un énorme service à te demander, ultra urgent. Et je ne peux même pas t'expliquer pourquoi...

– Gillian, ça va ? Tout le monde s'inquiète pour toi.

– Je vais bien, mais je ne peux pas parler. Il faudrait que tu ailles chercher Amy Nowick ; elle est en... en cours de chimie, c'est ça ! Il faut absolument que tu ailles lui dire de se rendre en voiture à l'angle de Hazel et d'Applebutter Street et de m'y attendre.

– Tu veux qu'elle quitte le lycée en plein cours ?

– Oui, tout de suite. Je sais que j'en demande beaucoup, dis-le-lui, mais c'est très important.

Elle s'attendait à des questions. Cependant, Daryl répondit seulement :

– Fais-moi confiance. Je la trouverai.

– Merci, Daryl. Tu me sauves la vie.

Après avoir raccroché, Gillian enfila sa veste de ski et, la boîte à chaussures sous le bras, elle descendit doucement l'escalier.

Elle entendait des voix dans la cuisine, l'une grave, celle de son père. Elle eut presque envie de courir le voir.

Mais comment réagiraient ses parents s'ils la voyaient ? Ils voudraient la garder au chaud, à l'abri dans la maison. Ils ne comprendraient pas ce qu'elle voulait faire.

Et impossible de leur dire la vérité, bien sûr. Ce serait leur donner un nouveau choc, au risque, en outre, de se voir expédier à l'hôpital psychiatrique où sa mère avait déjà fait un séjour. Tout le monde croirait qu'elle souffrait de crises de délire, que c'était de famille.

Elle se dirigea vers la porte d'entrée sur la pointe des pieds, l'ouvrit doucement, se glissa au-dehors.

Durant la nuit, la neige avait dû fondre un peu, puis geler à nouveau. De la glace pendait des toits et des arbres.

S'enfonçant la tête dans son col, Gillian pressa le pas en espérant que personne ne la voyait, mais elle avait l'impression que des regards discrets l'épiaient depuis les branches et dans les coins d'ombre.

À l'angle de Hazel et d'Applebutter Street, elle s'arrêta, la boîte serrée entre ses bras dans l'espoir de se tenir un peu chaud.

C'est beaucoup demander...

C'était beaucoup demander, surtout quand elle songeait à la façon dont elle avait traité Amy ces derniers temps. Le plus drôle étant qu'avec tous les copains qu'elle s'était faits récemment, elle se tournait instinctivement vers celle-ci dans les moments de difficulté.

Mais... il y avait quelque chose de solide et d'authentique chez elle. Et Gillian savait qu'elle ne lui ferait pas faux bond.

La Chevrolet apparut au coin de la rue et s'arrêta en mordant sur le trottoir. Typique d'Amy qui conduisait toujours sans ses lunettes. Elle ouvrit la portière et sauta dehors, tournant un visage anxieux vers Gillian.

Toutes deux se jetèrent dans les bras l'une de l'autre en pleurant.

– Je suis désolée. J'ai été trop nulle avec toi, cette semaine...

– Et moi avec toi avant...

– J'en suis malade. Tu as le droit de m'en vouloir à fond...

– Depuis que j'ai entendu parler de cet accident, je suis morte d'inquiétude.

Gillian se détacha d'elle :

– Je ne peux pas rester. Pas le temps. Je sais quel effet ça fait de la part de quelqu'un qui est rentré dans un poteau cette nuit... mais j'ai besoin de ta voiture. Il faut absolument que je voie David.

Amy cligna des yeux.

– OK.

– Je peux te déposer chez toi...

– Ce n'est pas sur la route. Et puis ça me fera du bien de marcher.

Gillian faillit éclater de rire. C'était tellement bon de voir sa copine lui caresser le visage de sa main gantée en sautillant sur place ! Elle l'étreignit à nouveau, en vitesse.

– Merci. Je n'oublierai jamais ça. Et je te promets de ne plus jamais me conduire comme la garce que j'ai été, du moins...

Elle s'interrompit en se mettant au volant. Elle avait failli dire : « Du moins si je suis encore vivante. »

Parce qu'elle n'en était plus sûre du tout.

Mais l'important était d'abord d'aller trouver David.

Elle devait le voir de ses yeux. S'assurer qu'il allait bien… et qu'il était toujours lui-même.

Faisant hurler le moteur, elle fila vers Houghton.

14

La réceptionniste lui indiqua le numéro de la chambre sans vérifier si elle avait le droit de rendre visite à ce patient.

En traversant le couloir, Gillian tremblait d'anxiété à l'idée de ce qu'elle allait trouver. Si David s'en était tiré, elle aurait une chance de réussir.

Devant la porte, elle s'arrêta en retenant son souffle.

Son esprit lui montrait toutes sortes d'images. David dans le coma, relié à tant de tubes et de fils qu'il en était méconnaissable. Pire, David vivant, éveillé, souriant... et posant sur elle des yeux violets.

Elle savait quel plan avait concocté Angel. Du moins, elle en avait une idée précise. Une seule question restait : avait-il réussi ?

Retenant toujours sa respiration, elle entrouvrit et passa la tête.

David était assis sur le lit. Il n'était relié qu'à un liquide intraveineux clair. Le lit voisin était vide.

Il tourna les yeux vers elle, l'aperçut. Gillian s'approcha lentement, le fixant avec une expression totalement impénétrable.

Cheveux sombres, visage mince au teint encore légèrement bronzé. Magnifiques pommettes saillantes, regard profond...

Mais pas de sourire amical. Il avait juste levé la tête du livre ouvert sur ses genoux.

Qu'est-ce que je dis, là ? « David, c'est toi, au moins ? » Je n'y arrive pas. C'est trop bête. Qu'est-ce qu'il va me répondre ? « Non, gamine, ce n'est pas lui, c'est moi » ?

Le silence s'étirait. Finalement, d'un ton tranquille, le garçon sur le lit laissa tomber :

– Ça va ?

– Ouais, répliqua-t-elle d'un ton morne. Et toi ?

– Très bien. J'ai eu de la chance. Je te trouve... différente.

– Et toi, carrément en forme !

Un éclair de surprise douloureuse passa dans les yeux de David.

– Je... tu es entrée là l'air tellement désinvolte, tu parles d'une voix si... froide... Gillian, qu'est-ce que je t'ai fait pour que tu aies voulu m'envoyer contre ce poteau ?

– Je ne l'ai pas fait exprès ! s'écria-t-elle en plongeant vers lui.

Sans vraiment le vouloir, elle lui prit les mains et il en parut tout décontenancé :

– Bon, si tu le dis...

– Je te jure, David ! J'ai fait tout ce que j'ai pu pour l'éviter. Jamais je ne pourrais te faire de mal. Tu le sais, quand même ?

L'expression du garçon parut s'éclairer.

– Oui, je te crois, dit-il simplement.

Une seule chose déconcerta Gillian : constater qu'au fond elle n'en doutait pas. Elle ne lui en étreignit que davantage les mains, le regard rivé au sien. Ce fut comme s'ils se rapprochaient encore l'un de l'autre alors qu'aucun ne fit le moindre mouvement.

Et cette fois, arriva ce qui s'était déjà esquissé au moins deux fois. Ces sentiments si doux et si forts qu'elle pouvait à peine les supporter. Cette étrange impression de se reconnaître en lui... d'en savoir déjà tant sur lui...

Alors qu'elle fermait les paupières sans même s'en apercevoir, elle sentit les lèvres tièdes de David effleurer les siennes dans un mouvement d'une douceur infinie... mais ce ne fut pas tout.

Comme si le voile habituel qui sépare deux personnes venait de tomber.

À cette révélation, Gillian éprouva un véritable choc. Ainsi, c'était cela, la chose dont lui avait parlé Angel. Elle le sut instinctivement même si elle n'en avait jamais prononcé le nom.

Des âmes sœurs.

Elle avait trouvé la sienne. Son seul amour sur cette Terre. L'être auquel elle était destinée et dont personne ne pourrait la séparer. Et ce n'était pas Angel mais David.

En outre, elle venait d'acquérir une autre certitude absolue : elle avait bien affaire au vrai David. Il la tenait dans ses bras, l'embrassait. Elle, la Gillian de tous les jours, dans son vieux sweat-shirt gris et sans maquillage.

Quelle bêtise d'avoir cru que ces choses-là pouvaient compter !

David était vivant, voilà tout. Elle n'aurait pas sa mort sur la conscience. Et si tous deux survivaient jamais à ce qu'elle avait encore à faire, ils pourraient être heureux comme elle n'en avait pas encore idée.

L'étonnant étant qu'elle parvienne encore à penser. Mais ils n'étaient plus en train de s'embrasser, ils s'étreignaient l'un l'autre. Et c'était si bon de sentir son corps contre le sien.

Elle se détacha de lui.

– David...

Il posa sur elle un regard émerveillé :

– Tu sais ? Je t'aime !

– Je sais, répondit-elle d'un ton pas vraiment romantique.

Elle n'y pouvait rien. C'était le moment d'agir.

– David, j'ai des choses à te dire et je ne suis pas certaine que tu puisses me croire. Mais il va falloir essayer.

– J'ai dit que je t'aimais et c'est vrai. Nous...

Il s'interrompit, la dévisagea, comme s'il venait de découvrir un détail qui le faisait changer d'avis.

– Je t'aime, reprit-il d'un ton différent, donc je te crois.

– Pour commencer, je ne suis pas ce que tu imagines, ni vaillante, ni loyale, ni intrépide face au danger... ni rien de ce genre. Tout ça, ce n'était qu'une espèce de comédie. Voici la véritable histoire.

Et elle lui raconta tout. Depuis le début, au cours de cet après-midi où elle avait entendu pleurer un enfant dans un bois, avant de s'y enfoncer et de mourir puis de rencontrer un ange.

Elle lui rapporta comment Angel était apparu dans sa chambre cette nuit-là, comment il avait bouleversé toute sa vie, comment ses murmures l'avaient guidée depuis.

Elle lui avoua également ses méfaits, son ascendance de sorcière, le sort qu'elle avait jeté à Tanya, le Night World, tout ce qui s'était passé jusqu'à l'accident de la nuit précédente.

Quand elle eut fini, elle posa sur lui un regard interrogateur.

– Alors ?

– Alors, je devrais croire que tu es folle, mais je ne le crois pas. Peut-être parce que je suis fou moi aussi. Ou peut-être parce que moi aussi je suis déjà mort une fois…

– Tu avais commencé à me raconter ça, le premier soir… Qu'est-ce qui t'est arrivé ?

– J'avais sept ans quand j'ai eu une crise d'appendicite aiguë. Je suis mort sur la table d'opération… et je me suis retrouvé dans un endroit comme cette prairie. Je vais te raconter le plus drôle : moi aussi, j'ai senti cette créature qui se précipitait vers moi… cet être énorme qui t'a poursuivie. Sauf que moi, il m'a rejoint. Et il n'était ni sombre ni effrayant, mais blanc, lumineux, avec de magnifiques ailes.

– Et ensuite ? demanda Gillian les yeux écarquillés.

– Ensuite il m'a renvoyé à la vie. Je n'ai pas eu le choix. Il m'aimait mais je devais repartir. Alors, zou ! dans le tunnel, et paf ! direct dans mon corps. Je ne l'ai jamais oublié. C'est difficile à expliquer mais je suis certain que c'était vrai. C'est sans doute pour ça que je te crois.

– Alors tu comprendras aussi sans doute ce qu'il me reste à faire. Je ne sais pas vraiment qui est Angel… d'après moi, une espèce de démon. Mais il faut que je l'arrête, que je l'exorcise ou je ne sais quoi.

David lui saisit les bras.

– Pas question. Tu ne sauras jamais comment t'y prendre.

– Peut-être que Melusine pourra me le dire. Ou l'autre type, Ash, que j'ai vu dans le club. Il m'avait l'air réglo, son seul défaut, c'est que ce devait être un vampire.

David se raidit.

– Je vote pour la sorcière…

– Moi aussi.

– … mais je voudrais que tu m'attendes. Je sors cet après-midi.

– Je ne peux pas. David, c'est pour Tanya, et aussi Kim. Melusine saura sans doute comment les guérir. De toute façon, je vais lui demander. Et je ne peux pas perdre davantage de temps.

– Bon, alors tu me donnes cinq minutes et on y va ensemble.

– Non.

Il était en train de regarder comment se débarrasser de son intraveineuse.

– Si, attends-moi…

Gillian lui envoya un baiser depuis la porte et s'enfuit avant qu'il ne relève la tête.

Il ne pouvait pas l'aider. On n'affrontait pas Angel comme n'importe qui d'autre, celui-ci se servirait de David comme d'un otage qu'il menacerait de tous les maux.

Gillian sortit en courant de l'hôpital et traversa le parking où elle retrouva la Chevrolet.

Bon, il me reste à espérer que Melusine soit bien dans son magasin…

– *Tu ne vas pas faire ça.*

Gillian claqua la portière et s'assit très droite au volant, l'œil dans le vague, tout en attachant sa ceinture de sécurité. Puis elle démarra.

– *Écoute, gamine. Tu n'as jamais eu d'ami aussi fidèle que moi.*

Elle quitta le parking.

– *Allez, arrête. On pourrait en parler un peu avant, non ? Tu n'as pas compris certaines choses.*

Elle ne voulait pas l'écouter. Elle n'osait lui

répondre. La dernière fois, il était parvenu à l'hypno-
tiser, la poussant à tellement se détendre qu'elle avait
fini par se reposer sur lui et se laisser dominer. Pas
question qu'il recommence.

Cependant, elle ne pouvait le faire taire, se débarrasser de lui.

— *Et tu ne peux pas l'aimer. Il y a des règles contre
ça. Je ne plaisante pas. Tu appartiens au Night World,
tu n'as pas le droit d'aimer un humain. S'ils s'en aper-
çoivent, ils vous tueront tous les deux.*

— *Parce que ce n'est pas ce que tu as déjà tenté de
faire ?*

Oh non, elle lui avait répondu ! Il ne fallait pas.

— *Je ne t'ai pas touchée. Je ne voulais que lui.
J'aurais pu faire ça en douce...*

Ne l'écoute pas, se dit-elle. *Il doit bien exister un
moyen de le faire taire, de le virer de ma tête...*

Elle se mit à chanter.

Déjà, elle avait remarqué qu'il ne captait pas ses
pensées quand elle fredonnait. Là encore, cela semblait marcher, tant qu'elle s'occupait l'esprit avec des
paroles. Alors elle ne cessa plus de brailler des can-
tiques jusqu'à l'arrivée sur Woodbridge.

J'espère que tu es là, Melusine...

Elle se gara, traversa le parking puis le bazar tout
en continuant de chanter, sa boîte à chaussures

sous le bras. Et tant pis si on la prenait pour une folle.

Derrière la porte du magasin, une Melusine stupéfaite leva la tête de son comptoir.

– S'il vous plaît, il faut m'aider, j'ai cet ange qui essaie de tuer des gens !

– Je vous demande pardon ?

– J'ai… cette espèce d'ange… Je n'arrive pas à l'empêcher de me parler…

D'un seul coup, Gillian se rendit compte qu'Angel avait cessé de parler.

– Il a sans doute eu peur quand je suis entrée ici. Mais j'ai quand même besoin de votre aide. Je vous en prie !

Soudain ses yeux s'emplirent de larmes.

Melusine s'accouda au comptoir, le menton sur les mains. Elle paraissait surprise mais pas hostile.

– Si vous me racontiez ça ?

Pour la deuxième fois de la journée, Gillian relata son histoire, sans rien omettre, espérant que cela permettrait à Melusine de comprendre à quel point la situation était urgente, à quel point elle manquait d'expérience.

– Vous voyez, je ne suis même pas une vraie sorcière, conclut-elle.

– Oh si ! dit la jeune fille l'air fascinée. Là-dessus, il ne vous a pas menti. Tout le monde connaît l'histoire des bébés perdus des Harman, la petite Elspeth qui serait morte en Angleterre. Ce qui ne semble finalement pas être le cas. Et vous descendez d'elle.

– Ce qui veut dire que je peux jeter des sorts ?

– N'importe qui peut en jeter, sourit Melusine. Encore que tout le monde ne soit pas de mon avis.

– Mais vous pouvez m'aider à défaire un sort ?

Là-dessus, Gillian ouvrit la boîte et elle eut honte de montrer les poupées, même si elle les avait achetées là.

– Je n'aurais pas fait ça si j'avais su, assura-t-elle.

– Je sais, souffla Melusine pour l'apaiser.

Tandis qu'elle les examinait, Gillian attendait son verdict.

– Bon, il semblerait que vous ayez déjà lancé le processus. Mais je crois… Peut-être qu'un baume cicatrisant… et un chardon béni…

Melusine s'éclipsa soudain, comme si elle était en fauteuil volant, revint armée d'onguents qu'elle appliqua sur les poupées, priant Gillian de se concentrer avec elle, et prononça des paroles que celle-ci ne reconnut pas.

Puis elle enveloppa les poupées d'un genre de papier de soie blanc, les remit dans leur boîte.

— C'est tout ? C'est fait ?

— Oui, mais je crois qu'il vaudrait mieux les garder pour le cas où il faudrait reprendre le processus. Par la suite, nous pourrons leur ôter leurs noms et nous en débarrasser.

— Mais, maintenant, Tanya et Kim vont s'en sortir ? insista Gillian anxieuse.

Elle ne pouvait s'empêcher de jeter des regards sur la jambe coupée de Melusine.

Celle-ci ne s'encombra pas de détours :

— Si on avait dû les amputer de quelque chose, on ne pourrait rien y changer. Nous ne savons pas faire repousser les membres coupés. Moi, ça m'est arrivé dans un accident de bateau. Sinon, je pense qu'elles doivent aller déjà mieux.

Gillian laissa échapper un soupir comme si elle manquait de souffle depuis des heures, ferma les yeux.

— Merci, Melusine, oh, merci ! Vous ne savez pas à quel point ça fait du bien de ne plus avoir l'impression d'être en train de mutiler quelqu'un.

— Mais il vous reste le plus difficile à faire.

— Angel.

— Oui.

– Ça, vous pouvez dire qu'il est difficile, et dange-
reux, capable d'entrer dans mon esprit, de m'obliger
à faire des choses…

– Pas juste dans votre esprit. Dans celui de
n'importe qui.

– Et je suis à peu près sûre qu'il peut lui-même
déplacer des objets, faire déraper des voitures. Et
qu'il voit tout. Melusine, c'est quoi, ce type ? Pourquoi fait-il tout ça ? Pourquoi à moi ?

– C'est la dernière question la plus facile. Parce
que vous êtes morte.

Melusine se dirigea en vitesse vers une étagère au
bout du comptoir, en sortit un livre.

– Il a dû vous intercepter entre les deux mondes,
entre la Terre et l'Autre côté. Là où il était. Il s'est
fait passer pour l'être chargé de vous accueillir, celui
qui devait vous guider dans l'autre monde. Cet être
qui se précipitait vers vous à la fin était sans doute le
véritable guide. Mais l'« ange » vous avait happée
avant.

– Alors ce n'est pas un véritable ange, n'est-ce
pas ?

– Non.

Gillian se raidit.

– C'est un démon ?

– Je ne crois pas, dit Melusine en feuilletant le

livre. D'après la façon dont vous l'avez ramené avec vous, je dirais que c'est un esprit. Il existe deux moyens de capter des esprits dans l'entre-deux-mondes : en les invoquant ou en allant les y chercher. Vous n'avez pas choisi le plus facile.

– Attendez. Vous voulez dire que c'est moi qui l'ai ramené ?

– Sans le faire exprès. Je suis certaine que vous n'en aviez pas l'intention. On dirait plutôt qu'il s'est accroché à vous et qu'il a dévalé le tunnel, ce que nous appelons « le chemin étroit », avec vous. Les esprits de l'entre-deux-mondes nous voient, nous parlent parfois, mais ne peuvent pas vraiment dialoguer avec nous. En le ramenant sur Terre, vous lui avez donné cette possibilité.

– Oh, génial ! Si je comprends bien, je suis responsable depuis le début. Au fait, qu'est-ce que c'est, un esprit ? Une personne morte ?

– Une personne morte qui n'a pas trouvé la paix, dit Melusine en tournant les pages. Un esprit accroché à la Terre est une âme souffrante... Écoutez, c'est simple. Les esprits vraiment malheureux, par exemple parce qu'ils ont fait quelque chose de mal ou qu'ils sont morts avant d'avoir pu achever une mission, ne passent pas de l'Autre côté mais restent coincés dans... dans ce que le livre appelle « le plan astral proche de la Terre ». Nous, nous disons « l'entre-deux-mondes ».

— Coincés.

— Ils ne progressent plus. Ils sont trop en colère, trop désespérés pour vouloir seulement guérir. Et ils souffrent tant qu'ils peuvent faire des choses terribles aux êtres vivants s'ils atterrissent ici.

— Mais comment se débarrasser d'eux ?

— C'est ça, la difficulté, souffla Melusine. On peut les renvoyer dans l'entre-deux-mondes... si on possède du sang et des cheveux provenant de leur corps physique, ainsi que toutes sortes d'ingrédients que je ne peux pas me procurer. Et si on connaît la formule adéquate, ce qui n'est pas mon cas.

— Je vois.

— De toute façon, ça ne ferait que le piéger dans l'entre-deux-mondes. Ça ne le guérirait pas pour autant. Mais, Gillian, je dois vous dire quelque chose. Vous n'avez pas forcément besoin de vous appuyer sur moi.

— Pardon ?

— Je... je ne suis pas certaine que vous ayez bien compris qui vous êtes. Est-ce qu'il... l'esprit... est-ce qu'il vous a expliqué l'importance des Harman ?

— Il a dit que la sœur d'Elspeth était une grande dirigeante des sorcières.

– La plus grande. L'Aïeule, la souveraine de toutes les sorcières. Et les Harman forment pour nous, disons, une espèce de famille royale.

– Ah ? marmonna Gillian avec un sourire pincé. Alors je suis princesse ?

– Vous m'avez dit qu'Elspeth était la mère de la mère de votre mère. Vous en descendez totalement par les femmes. Mais c'est extraordinaire ! Il ne reste pour ainsi dire aucune fille Harman. Il n'y en avait que deux au monde et maintenant, il y a vous. Vous ne voyez pas que si le Night World l'apprenait, il se précipiterait à votre secours ? Il se chargerait d'Angel.

Ce qui ne parut pas impressionner Gillian.

– Et ça prendra combien de temps ?

– Pour qu'ils se rassemblent tous et le reste... qu'ils vérifient vos liens familiaux, qu'ils fassent les préparatifs... je ne sais pas. C'est sans doute une question de semaines.

– Trop long. Beaucoup trop long. Vous ne savez pas de quoi Angel est capable en quelques semaines.

– Dans ce cas, il va vous falloir essayer seule.

– Mais comment ?

– Vous allez devoir chercher qui il était dans la vie, quelle mission il n'a pas achevée. Ensuite, vous devrez le convaincre de la reprendre, d'accepter de quitter l'entre-deux-mondes pour l'Autre côté... je vous ai dit que ce ne serait pas facile...

– Sans compter qu'il ne voudra sûrement pas coopérer. Ça ne lui plaira pas.

– Non, il pourrait vous faire du mal, Gillian.

– Tant pis. Je n'ai pas le choix.

15

Melusine la dévisageait.

– Vous êtes intrépide. Je parie que vous y arriverez, fille d'Hellewise.

– Je ne suis pas intrépide, j'ai peur.

– L'un n'empêche pas l'autre. Promettez-moi que si vous réussissez, vous reviendrez ensuite me voir. J'aurai des choses à vous raconter. Sur le Night World et sur ce qu'on appelle « le cercle du Crépuscule ».

Son intonation inquiéta Gillian :

– C'est important ?

– Ça pourrait l'être pour vous, sorcière aux ancêtres humains et entourée d'humains.

– D'accord. Je vais revenir… si…

Gillian regarda autour d'elle, à la recherche de quelque talisman ou d'un objet susceptible de l'aider…

Mais elle savait qu'elle ne faisait qu'essayer de gagner du temps. Si cet objet existait, Melusine le lui aurait fourni depuis longtemps.

Il ne lui restait donc qu'à partir.

– Bonne chance ! lança la jeune fille.

Gillian se dirigea vers la porte tout en se demandant ce qu'elle allait bien pouvoir faire ensuite.

– J'ai oublié de vous préciser quelque chose, ajouta Melusine. Les esprits traînent en général à proximité des lieux où ils sont morts. Même si ça ne doit pas beaucoup vous aider…

– Si… au contraire, murmura Gillian pensive. Ça peut beaucoup m'aider. En fait, ça me donne une idée.

Au moins, maintenant, je sais où aller.

Elle prit la direction plein sud, vers Somerset, avant de bifurquer plein est vers les collines. À un détour de la route, elle aperçut le cimetière en contrebas.

Il datait de plusieurs siècles mais était bien entretenu et assez spacieux pour continuer d'accueillir de nouvelles sépultures. Grand-père Trevor y était enterré, dans la nouvelle section, tandis que les plus anciennes tombes occupaient plutôt le flanc de la colline boisée.

Si elle avait une chance de trouver celle d'Angel, ce devait être par là.

L'unique voie qui menait à la section ancestrale passait par un escalier de bois renforcé par des traverses de chemin de fer. Gillian l'escalada en s'accrochant à la rampe et, arrivée au sommet, s'arrêta pour inspecter les lieux en s'efforçant de ne pas trembler.

Elle se retrouvait au milieu de hauts sycomores et de chênes qui semblaient déployer dans tous les sens leurs membres noueux. Le soleil baissait à l'horizon et des ombres bleutées s'étiraient sous les arbres.

Prenant son courage à deux mains, elle se mit à crier aussi fort qu'elle le put :

– Viens par ici, toi ! Tu sais ce que je veux !

Silence.

Pas question de se traiter d'idiote. Les bras croisés pour se tenir un peu plus chaud, elle cria encore dans le calme immobile :

– Je sais que tu m'entends ! Je sais que tu es par là ! Mais près de moi ou pas ?

Elle envoya un coup de pied en direction d'une tombe couverte de neige.

Car elle ne pouvait bien sûr rien faire d'autre toute seule. Le seul moyen d'obtenir l'information qu'elle cherchait, sur la vie terrestre d'Angel, sur ce qu'il avait fait ou laissé inachevé, ne pouvait provenir que d'Angel lui-même.

Personne d'autre ne pouvait le lui dire.

– C'est toi ? maugréa-t-elle en nettoyant une pierre tombale de granit.

Elle y lut cette inscription : « Thomas Ewing, 1775. Il a donné son sang et sa vie pour la liberté. »

– Étais-tu Thomas Ewing ?

Les rameaux glacés de l'arbre qui les surplombait cliquetèrent dans la brise montante et cela produisit un bruit semblable à un lustre de cristal.

– Non, il m'a l'air trop courageux. Alors que toi, tu n'es évidemment qu'un lâche.

Elle nettoya quelques autres pierres.

– Et si tu étais William Case ? « Fauché dans la fleur de l'âge par un accident de diligence. » Ça te ressemblerait davantage. Alors, tu étais William Case ?

– *Tu ne chantes donc plus ?*

Gillian s'immobilisa.

– *Parce que j'ai quelque chose pour toi.*

La voix à son oreille se mit à chanter à tue-tête. Et c'était sinistre.

– *Le fan-tô-me de l'Opéra est là, dans ton esprit…*

– C'est bon, Angel ! Tu n'as rien de mieux à me dire ? Et pourquoi je ne peux pas te voir, tout d'un coup ? Tu as trop peur pour m'affronter de face ?

Une lumière brilla au-dessus de la neige, une belle lumière pâle qui scintillait comme de la soie. Elle grandit, s'allongea, prit la forme d'une silhouette.

Et Angel se tint devant elle. Il ne lévitait plus. Ses pieds semblaient bel et bien posés sur le sol glacé.

Il était magnifique, plus beau que jamais dans le crépuscule. Cependant, cette beauté faisait plutôt peur maintenant. Gillian savait ce qu'elle cachait.

– Salut, murmura-t-elle. Tu dois savoir pourquoi je suis là.

– Non, et je m'en moque. Qu'est-ce que tu fiches là toute seule ? Personne ne sait où tu es passée ?

Elle se redressa pour lui faire face, fixant ses yeux violets, où semblait se refléter la lumière sombre du ciel.

– Je sais ce que tu es, reprit-elle d'un ton volontairement morne. Pas un ange. Pas un démon. Juste une personne. Comme moi.

– Faux.

– Tu as les mêmes sensations que n'importe qui. Et tu ne seras jamais heureux si tu restes là où tu te trouves. C'est impossible. Ne me dis pas que tu veux rester coincé là. Si j'étais morte, j'aurais horreur de ça.

Ces dernières paroles jaillirent avec une force qui la surprit elle-même. Angel se détourna.

Elle voulut aussitôt profiter de la situation.

– Horreur, répéta-t-elle. Traîner là, à voir les autres vivre leur vie, à n'être rien du tout, à ne rien faire sauf importuner les Terriens. Tu appelles ça une vie…

Prenant soudain conscience de sa gaffe, elle s'interrompit.

À son tour, il eut un sourire moqueur.

– Pas une vie, non !

– Bon, tu vois ce que je veux dire. C'est nul. Ça craint trop.

Un spasme tordit le visage d'Angel et il se détourna d'elle. Jamais elle ne l'avait vu à ce point agité. Il se mit à faire les cent pas, tel un fauve en cage, et ses cheveux paraissaient balayés par un coup de vent.

Gillian poussa son avantage :

– Autant se retrouver enterré là-dessous ! insista-t-elle en envoyant un coup de pied dans un tas de brindilles desséchées.

Il lui fit de nouveau face, les yeux plus brillants que jamais.

– Mais j'y suis, Gillian !

Elle en eut la chair de poule et ne retrouva pas tout de suite la parole.

– Sous celle-là ? finit-elle par articuler.

– Non, mais je vais te montrer. Si ça te tente…

Là-dessus, d'un grand geste il l'invita à descendre l'escalier. Elle hésita puis s'engagea sur les marches, certaine qu'il la suivait.

De nouveau, elle sentait son cœur battre la chamade ; elle avait l'impression de livrer un combat à mains nues contre lui, pour voir qui des deux saurait le mieux bouleverser l'autre.

Cependant, elle s'y sentait obligée. Elle devait établir une connexion avec lui, l'atteindre dans sa colère, son désarroi et son désespoir afin d'en tirer des réponses.

En outre, c'était une véritable lutte de pouvoirs, à qui crierait le plus fort, à qui se montrerait le plus impitoyable, à qui tiendrait le choc.

Le prix étant l'âme d'Angel.

Elle faillit trébucher au pied de l'escalier ; il faisait déjà trop sombre pour voir où elle posait les pieds. Elle remarqua juste que le froid devenait de plus en plus mordant.

Un souffle glacé passa devant elle et une lumière se mit à briller. Angel l'avait dépassée et marchait devant elle, sans laisser aucune trace dans la neige. Elle courut derrière lui.

Ils se dirigeaient vers le nouveau cimetière, continuèrent jusqu'à la section la plus récente.

– Là, dit-il en illuminant une pierre tombale récente.

Gillian frissonna.

C'était exactement ce qu'elle voulait savoir. Pourtant, ça lui hérissait maintenant les cheveux.

Il gisait là-dessous, à ses pieds. Le cadavre d'un être qu'elle aimait, en qui elle avait confiance… dont la voix la berçait la nuit et l'éveillait au matin.

Il était là, dans une boîte peut-être déjà pourrie, et ce n'était certainement pas un bel ange blond. Elle allait découvrir son nom gravé dans la pierre.

– Je suis là, Gillian, souffla-t-il d'une voix caverneuse en s'appuyant sur le granit. Viens me dire bonjour.

Il souriait, pourtant son regard fixe brillait de haine et d'amertume. Elle le sentait capable de tout.

Cependant, l'horreur nauséeuse qui l'habitait jusque-là quitta soudain Gillian et elle balaya du dos de la main ses larmes de glace avant de s'agenouiller non pas sur la tombe mais à côté.

Sans plus regarder Angel, elle joignit les mains, pencha la tête et envoya une prière muette à la puissance qui régnait là, quelle qu'elle fût.

Après quoi, elle ôta ses gants pour écarter doucement la neige de la simple pierre de granit au sommet arrondi. On y avait inscrit : « En mémoire de notre fils adoré, Gary Fargeon. »

– Gary Fargeon, lut-elle à haute voix.

Elle releva les yeux vers la silhouette devant elle :

– Gary.

Il partit d'un rire moqueur, un peu forcé :

– Ravi de faire ta connaissance. J'habitais à Sterback ; on était presque voisins.

Elle vérifia ensuite la date de naissance, qui remontait à dix-huit ans. Puis celle de la mort, l'année précédente.

– Tu es mort l'année dernière. Tu n'avais que dix-sept ans.

– J'ai eu un petit accident d'auto. J'étais complètement ivre.

Il s'esclaffa.

Gillian s'assit sur ses talons.

– Ah oui ? Génial !

– À quoi tient la vie ? maugréa-t-il entre ses dents. « Juste une étoile filante »... ou quelque chose comme ça.

Gillian refusa de se laisser distraire.

– Tu l'as fait exprès ? Tu t'es suicidé ? C'est ça qui te donne un sentiment d'inachevé ?

– Ça t'intéresse ?

Bon, n'insistons pas. Il n'était visiblement pas prêt. Mieux valait recourir à des ruses plus féminines.

– Je croyais que tu me faisais confiance, Angel. Qu'on était des âmes sœurs…

– Mais tu sais maintenant que ce n'est pas vrai ! Parce que tu as trouvé ton véritable amour… cet imbécile. Enfin, quand bien même, on est reliés d'une autre façon puisqu'on est cousins. Lointains mais quelque part du même sang.

Gillian en laissa retomber ses bras. Mille idées lui traversaient l'esprit mais elle ne savait plus trop où regarder.

Le plus étonnant étant qu'elle n'était qu'à moitié surprise.

– Tu ne t'es jamais demandé pourquoi on avait tous les deux la même couleur d'yeux ? En plus, elle n'est pas très répandue. Ton arrière-grand-mère, Elspeth, avait les mêmes, ainsi que son frère jumeau, Emmeth.

Des jumeaux.

Évidemment, les bébés perdus de la famille

Harman dont parlait Melusine ! Elspeth et Emmeth.

– Et tu es…

– L'arrière-petit-fils d'Emmeth.

Maintenant, elle comprenait ce que son esprit tentait de cerner.

– Alors tu es un sorcier, toi aussi. C'est pour ça que tu connaissais les sorts et les formules. Mais comment le sais-tu ?

– À cause de crétins du cercle du Crépuscule qui sont venus nous voir. Ils cherchaient des sorciers oubliés et ils examinaient la lignée d'Emmeth. Ils m'en ont dit assez pour que je comprenne quels pouvoirs je possédais. Et c'est là que je leur ai dit d'aller se faire voir.

– Mais pourquoi ?

– Parce que c'étaient des imbéciles. Ils voulaient juste rassembler les humains et les créatures de la nuit. Mais moi je savais que le Night World était le monde auquel j'appartenais. Les humains ne reçoivent que ce qu'ils méritent.

Gillian se leva. Ses doigts devenaient rouges et gonflés et elle essaya de remettre son gant.

– Gary, tu es un humain. Du moins en partie. Comme moi.

– Non, on leur est supérieurs. On vaut mieux…

– Pas du tout. On n'est supérieurs à personne !

Le souffle court, Gary lui décocha un sourire mauvais.

– Tu te trompes. Les créatures de la nuit sont des prédateurs. Il y a même des lois pour nous.

Elle fut parcourue d'un frisson qui n'avait rien à voir avec le froid.

– Ah oui ? C'est pour ça que tu m'as entraînée dans ce club ? Pour qu'ils puissent me chasser ?

– Mais non, je te l'ai dit : tu faisais partie du groupe. Je voulais juste que tu t'en rendes compte. Tu aurais pu rester, intégrer...

– Mais pourquoi ?

– Comme ça, tu serais venue avec moi. On aurait pu être ensemble. Pour toujours. Si tu t'étais jointe à eux, tu ne serais pas allée dans l'Autre monde...

– Quand je suis morte ! Tu voulais que je meure !

Il parut un peu gêné.

– C'était juste au début.

Furieuse, elle se mit à crier :

– C'est toi qui as monté ce bateau ! Tu m'as attirée dans un piège, c'est ça ? Ces pleurs que j'ai entendus dans les bois... c'était donc toi ?

– Je...

– Tu as fait tout ça pour me tuer ! Pour avoir de la compagnie !

– J'étais trop seul, souffla-t-il en détournant les yeux.

Il y avait quelque chose de si désespéré dans sa voix que Gillian ne put s'empêcher de revenir vers lui.

– De toute façon, ajouta-t-il, j'ai fini par changer d'avis et je ne t'ai rien fait. J'espérais pouvoir venir vivre ici, avec toi...

– En tuant David et en prenant son corps. Ouais, super idée !

Il ne réagit pas. D'un geste désespéré, Gillian tendit la main, qui passa à travers son épaule.

– Gary, dis-moi ce que tu as fait. Quelle était ta mission inachevée ?

– Comme ça tu vas essayer de m'y renvoyer.

– Oui.

– Et si je n'ai pas envie de l'achever ?

– Il le faut ! martela-t-elle. Tu n'as rien à faire ici. Ce n'est plus chez toi. Tu ne peux plus rien faire... que du mal.

– Qui te dit que ce n'est pas ce que je voudrais, justement ?

– Tu ne comprends pas. Je ne te laisserai pas faire. Et n'espère pas que je lâcherai prise. Je ferai tout pour t'obliger à t'en aller.

– Mais tu n'y arriveras peut-être pas.

Un souffle de vent. Et autre chose. Des pointes qui piquèrent le visage de Gillian comme des aiguilles.

– Et s'il y avait un blizzard, ce soir ? susurra-t-il.

– Arrête !

La bourrasque la gifla.

– Une méchante tempête à laquelle personne ne s'attendait.

– Gary...

Il faisait nuit, maintenant, sans lune ni étoiles. Cependant, Gillian distinguait un maelström blanc. Elle claquait des dents.

– Et si la voiture d'Amy ne voulait plus démarrer ? Si le moteur tombait en panne...

– Ne fais pas ça, Gary !

Elle ne le voyait plus, sa lumière avait disparu, avalée par le vent. La neige tourbillonnait de plus belle.

– Personne ne sait où tu es, non ? Pas très malin, gamine. Tu vois que tu as besoin de quelqu'un pour veiller sur toi.

Le souffle court, la bouche ouverte pour tenter de respirer, elle voulut s'en aller, mais un violent courant d'air la plaqua contre une pierre tombale.

C'était bien ce qu'elle avait craint. Que son ange ne finisse par se retourner contre elle, par essayer de la détruire. Maintenant que cela se produisait, elle se félicitait d'avoir prévu la chose.

La voix de Gary retentit entre deux rafales :

— Et si je m'en allais et te laissais là toute seule ?

Les yeux pleins de larmes, les cils gelés, elle parvint pourtant à hurler en s'accrochant à la pierre :

— Tu ne feras jamais ça, tu le sais très bien...

— Comment veux-tu que je le sache ?

Elle lui renvoya une autre question :

— Pourquoi tu n'as pas tué David ?

Pour toute réponse, elle n'entendit que le vent hurler.

Elle n'y voyait plus rien et le froid la mordait cruellement. Ses mains n'arrivaient plus à agripper la pierre.

— Tu ne peux pas faire ça, Gary. Tu ne sais pas tuer ! Quand tu t'es retrouvé au pied du mur, tu n'as pas pu. Voilà tout.

Elle attendit, commençant à croire qu'elle s'était trompée, qu'il l'avait bel et bien laissée seule dans la tempête.

Et puis elle se rendit compte que le vent diminuait, que le rideau de neige s'allégeait, s'arrêtait. Une lumière apparut dans l'atmosphère soudain vide.

Angel... non, Gary se tenait là. Elle le distinguait clairement. Elle voyait même son regard plein d'amertume mais aussi d'une espèce de supplication.

– Mais si, Gillian. C'est exactement ce que j'ai fait. J'ai tué quelqu'un.

Le souffle à nouveau coupé, elle comprit que les choses tournaient mal. Encore qu'il ait plutôt paru se défendre, vouloir se justifier.

– Qui ? demanda-t-elle doucement.

– Tu n'as pas compris ? Paula Belizer.

16

Gillian demeura pétrifiée, comme gelée sur place. Car c'était la pire chose qu'elle aurait pu imaginer.

Il avait tué un enfant.

– La petite fille qui a disparu l'année dernière, balbutia-t-elle. Sur Hillcrest Road.

Celle à laquelle Gillian avait irrationnellement songé en entendant des pleurs.

– J'étais en train de jeter un sort, expliqua Gary. Un puissant. J'apprenais vite. Un sort de feu élémentaire… alors je suis parti dans les bois, dans la neige, où rien ne pouvait brûler. Et c'est là qu'elle a surgi, elle courait après un chien.

Le regard perdu dans le vague, le visage blême, il paraissait plutôt proie que prédateur et Gillian comprit qu'il n'était pas avec elle en ce moment, mais loin de là, avec Paula.

– Ils ont brisé le cercle. Tout s'est passé trop vite.

Le feu était partout... en un éclair. Et puis plus rien, c'était fini.

Il marqua une pause, puis :

– Le chien s'en est sorti. Pas elle.

Gillian ferma les yeux en s'efforçant de ne pas trop imaginer la scène.

– Mon Dieu... Oh, Gary...

– J'ai mis son corps dans ma voiture. Je voulais l'emmener à l'hôpital, mais elle était morte. Et moi, complètement perdu. Alors, finalement, je me suis arrêté. Et je l'ai enterrée dans la neige.

– Gary...

– Je suis rentré à la maison. Et puis je me suis rendu à une soirée. C'était mon genre, les fêtes. Je ne pensais qu'à m'offrir du bon temps, à moi, à moi, à moi. C'est aussi pour ça que je voulais devenir un vrai sorcier.

Cette fois, une authentique émotion lui cassait la voix et Gillian la reconnut : une pure haine de soi.

– À la soirée, j'ai bu comme un trou.

Tout d'un coup, elle comprit :

– Tu n'as jamais rien dit à personne.

– En rentrant à la maison en voiture, j'ai percuté sur un platane. Et terminé. Je me suis retrouvé au pays de Nulle part. Où on ne parle à personne, on ne touche personne mais on voit tout. J'ai assisté aux recherches lancées pour la retrouver. Ils sont passés à un mètre de son corps.

Gillian déglutit et détourna la tête en se disant que, quelque part, justice ne serait jamais faite. Mais ce n'était pas le moment de penser à ça.

Il n'était pas vraiment coupable… mais qu'est-ce que ça pouvait faire maintenant ? On jouait, on perdait. Gary avait tout perdu alors qu'au départ la vie lui avait tant donné : la beauté, l'intelligence et le pouvoir des sorciers. Il avait tout gâché.

Mais là non plus n'était pas l'essentiel. Il s'agissait maintenant de faire avec.

– Gary, tu dois me dire où elle est.

Silence.

– Gary, tu ne comprends pas ? C'est ça, ta mission inachevée. Sa famille ne sait pas…

De nouveau, elle déglutit, avant de reprendre d'une voix tremblante :

– Même si elle est morte, tu ne crois pas qu'ils ont le droit de savoir ?

Il marqua une longue pause avant de répondre d'une voix d'enfant buté :

– Je ne veux pas aller ailleurs.

Un gosse apeuré, songea Gillian.

– Gary, ils y ont droit. Pour retrouver la paix…

– Et moi, alors, cria-t-il, comment je la retrouve, la paix ?

Pas apeuré, terrifié.

– Et s'il n'y a pas un seul monde pour moi ? Et si personne ne veut de moi ?

Les larmes aux yeux, elle ne sut que lui répondre sur ce point.

– Je ne sais pas. Mais ça ne change rien à ce qu'on doit faire. Je vais rester avec toi, si tu veux. Je suis ta cousine. Montre-moi où c'est, maintenant.

Il hésita encore un long moment, le plus long de la vie de Gillian. Il regardait dans le ciel nocturne quelque chose qu'elle ne pouvait voir, l'air complètement absent.

Puis il baissa les yeux vers elle, hocha lentement la tête.

– Là ?

David se pencha, caressa la neige, leva sur Gillian une expression un peu effarouchée mais aussi déterminée.

– Oui, exactement là.

– Drôle d'endroit pour faire ça.

– Je sais. Mais on n'a pas le choix.

Il se mit au travail à grands coups de pelle et Gillian poussa la neige pour en former un mur, en essayant de se souvenir comment elle faisait enfant, quand elle adorait ça.

Jusqu'à ce que David lance :

– Je l'ai trouvée.

Alors elle recula, s'essuyant les manches à grands coups de mains gantées.

La journée était claire, le soleil brillait haut dans le ciel bleu. La petite clairière était paisible, presque paradisiaque, intacte si ce n'étaient les traces laissées par les pattes d'une souris.

Poussant de longs soupirs, les poings serrés, Gillian se tourna pour regarder.

David n'avait pas dégagé grand-chose, rien qu'un cache-nez de laine rouge ; il s'était agenouillé devant.

Elle pleurait de nouveau mais n'y prêta pas attention.

– C'était le dernier jour avant les vacances de Noël, récita-t-elle. On séchait les cours dans les bois. On avait décidé de fabriquer un fort avec la neige...

– Et c'est là qu'on a trouvé le corps, enchaîna David en lui posant une main sur l'épaule. Drôle d'histoire, mais ça passera mieux que la vérité.

– De quoi pourrait-on nous soupçonner ? On ne connaissait pas Paula Belizer. Ils comprendront qu'elle a été assassinée puisqu'on l'a enterrée, mais ça ne leur dira pas comment elle est morte. Ils vont croire que le meurtrier a tenté de brûler le corps pour s'en débarrasser.

David lui passa un bras autour de la taille et elle s'appuya sur lui. Ils demeurèrent un instant dans cette position, se tenant l'un l'autre. Et cela paraissait si naturel ! David avait accepté de l'aider sans la moindre hésitation. C'était son âme sœur. Ils se soutenaient.

– Prête ? finit-il par demander.

– Oui.

Alors qu'ils quittaient la clairière, David ajouta encore plus doucement :

– Il est là ?

– Non. Je ne l'ai plus vu depuis qu'il m'a montré l'endroit. Il a tout simplement... disparu. Il ne me parle plus non plus.

David l'étreignit un peu plus fort.

*

* *

M. Belizer vint à la nuit tombée, alors que presque tous les policiers étaient déjà partis. Il faisait déjà trop noir pour distinguer grand-chose. David suppliait Gillian de partir depuis une heure, et ses parents aussi. Ils étaient venus, tous les deux, pour lui tenir compagnie et la rassurer ; ainsi que le père de David et sa belle-mère.

Oui, songea Gillian, *ces derniers jours ont été durs pour tout le monde.*

Mais ils se tenaient tous là : David, pâle mais calme, Gillian, tremblante mais debout ; les parents, consternés mais essayant de faire face. Incapables de comprendre comment leurs enfants pouvaient avoir affronté tant d'épreuves en si peu de jours.

Au moins personne ne semblait-il les soupçonner d'avoir tué Paula Belizer.

Et voilà qu'arrivait le papa. Seul. Pour voir l'endroit où sa fille avait reposé si longtemps… bien que le légiste ait emporté le corps depuis des heures.

La police le laissa monter à la clairière en s'aidant d'une torche.

Gillian prit la main de David.

Il résista une seconde puis la laissa l'entraîner dans le sillage de l'homme. Elle entendit des murmures sur leur passage. *Qu'est-ce que tu fais à suivre ce pauvre type ? Mon Dieu, c'est malsain !* Cependant, aucun des parents n'essaya de les en empêcher.

Ils marchaient à courte distance derrière M. Belizer. Gillian s'approcha pour voir son visage.

C'était à elle d'agir maintenant. Elle ne savait pas grand-chose des esprits. Elle ne savait trop comment s'y prendre pour délivrer Gary de l'entre-deux-mondes. Fallait-il en parler au père de Paula ? Lui expliquer qu'elle sentait que celui qui avait fait ça le regrettait, même s'il était dans l'impossibilité de venir le lui dire lui-même ?

Cela risquait de la mener droit à la prison. Mais ce n'était pas ce qui lui faisait peur. Elle était la cousine de Gary, elle lui devait bien ça.

Comme elle restait là, encore hésitante, M. Belizer tomba à genoux sur la neige.

C'était tellement triste ! Si elle ne s'était appuyée sur des bras solides, Gillian serait peut-être tombée, elle aussi. David la retenait, le visage dans ses cheveux blonds. Mais elle ne pouvait quitter des yeux l'homme agenouillé.

Il pleurait. Elle n'avait jamais vu pleurer un homme de cet âge. Et cela faisait peur. Mais son visage exprimait quelque chose d'autre, quelque chose comme du soulagement, une sorte de... paix.

Agenouillé là, son pardessus sur les épaules, il articula :

– Je sais que ma fille est partie pour un monde meilleur, maintenant. Je pardonne à celui qui a fait ça.

Gillian en fut comme foudroyée, avant de ressentir une intense chaleur. Elle éclata en sanglots. En même temps, elle était prise d'un espoir qui lui transportait tout le corps.

Alors David laissa échapper un profond soupir et elle se rendit compte qu'il avait relevé la tête. Il regardait quelque chose au-dessus de M. Belizer.

Gary Fargeon flottait là, tel un ange. Et pleurait, lui aussi, sans cesser de marmonner une phrase que Gillian finit par saisir :

– ... regrette, je regrette tellement...

Le pardon demandé et obtenu. Quoique pas exactement dans cet ordre.

Ça y est ! songea Gillian. Ses genoux se mirent à trembler.

– Tu le vois toi aussi ? souffla David.

– Oui. Et toi ?

Personne d'autre ne semblait rien voir. Maintenant, M. Belizer se relevait et passait devant eux.

– Alors c'est à ça qu'il ressemble, articula David. Pas étonnant que tu l'aies pris...

Il n'acheva pas mais Gillian avait compris. Qu'elle l'ait pris pour un ange...

Cependant... que faisait encore Gary dans le coin ? Le pardon ne suffisait-il pas à le libérer ? Fallait-il faire autre chose ?

Ce dernier tourna la tête vers elle.

– Approche-toi un peu, dit-il. J'ai quelque chose à te dire.

Elle se détacha de David puis le tira pour qu'il la suive. Tous deux rejoignirent Gary derrière un fourré, vers une autre clairière. Comme les arbres obscurs se refermaient sur eux, ils se sentirent soudain très loin de la police et des curieux.

Gillian avait compris, mais elle laissa Gary se poser devant eux et prendre la parole :

– Toi aussi, tu dois me pardonner.

– Je te pardonne, dit-elle sans hésitation.

– Tu dois en être sûre. Je t'ai fait beaucoup de mal. J'ai tenté de te pervertir, de salir ton âme.

– Je sais. Mais tu as fait du bien, également. Tu m'as aidée… à grandir.

Il l'avait aidée à surmonter ses peurs, à prendre confiance en elle, à découvrir son héritage et à trouver son âme sœur.

Et puis il lui avait été plus proche que personne, à un point qui, elle le savait, ne se reproduirait pas.

– Tu sais, balbutia-t-elle bouleversée, tu vas me manquer.

Face à elle, il ne brillait plus qu'à peine et ses yeux s'étaient assombris, ce qui ne l'empêchait pas de sourire. Jamais elle ne l'avait trouvé aussi beau.

– Tout va s'arranger, assura-t-il. Pour toi. Ta mère va s'en sortir.

Gillian hocha la tête.

– C'est ce que je crois, moi aussi.

– Et j'ai vérifié pour Tanya et Kim. Elles vont bien. Tanya n'a pas perdu de doigt.

– Je sais.

– Tu devrais aller voir Melusine. Tu pourrais beaucoup l'aider avec ce cercle du Crépuscule. Et eux t'aideront pour le Night World.

– Très bien.

– Tâche aussi de discuter avec Daryl, au lycée. Elle a un secret sur lequel Kim a tenté de répandre des rumeurs, l'année dernière. C'est sur…

– Ang… Gary ! coupa-t-elle en levant la main. Je ne veux pas le savoir. Si elle a envie de me confier son secret, elle pourra le faire quand elle voudra. Sinon, tant pis. Il faut que je me débrouille seule, maintenant.

Elle avait déjà réfléchi à ce qu'elle allait faire à l'école. Les choses allaient encore changer, bien entendu. Étonnant comme on pouvait vite faire le tri entre les faux et les vrais amis…

Amanda la Pom-pom girl, Steffi la Chanteuse et J. Z. le Mannequin semblaient fiables. Ni meilleures ni pires que les autres stars. Tant mieux si elles restaient fidèles.

Daryl, qui n'était plus Daryl la Nantie mais juste Daryl, était mieux que sympathique, de celles qu'on pouvait considérer comme précieuses, irremplaçables. Et puis, bien sûr, il y avait Amy. À qui elle devait tant.

Quant aux autres, Tanya, Kim, Cory, Bruce et Macon, Gillian préférait ne pas trop les fréquenter. Peu importait qu'ils ne l'invitent jamais à leurs fêtes.

— Et je ne veux pas savoir si J. Z. le Mannequin a vraiment tenté de se suicider ou non, conclut-elle.

Gary se tut. Avant de lui décocher un clin d'œil.

— Tout va bien se passer pour toi, reprit-il.

Pour la première fois, il posa les yeux sur David.

Tous deux se regardèrent un instant. Sans hostilité.

Puis Gary se retourna vers Gillian.

— Une dernière chose, ajouta-t-il en hâte. Si je l'ai épargné, ce n'est pas parce que j'étais incapable de tuer mais parce que je ne voulais pas que tu me détestes le restant de tes jours.

Oh !

Elle leva la main et il fit de même, leurs paumes, leurs doigts se rapprochèrent… mais ne purent se toucher.

Tout d'un coup, Gary parut stupéfait, il fit volte-face, leva la tête. Vers le ciel constellé d'étoiles.

Gillian n'y voyait rien de spécial, en revanche, elle sentait quelque chose. Comme une débandade. Quelque chose qui arrivait.

Et Gary fut soulevé dans cette direction telle une feuille dans le vent. Il avait encore la main tendue vers Gillian, pourtant il s'élevait, irréel, plus émerveillé qu'abasourdi.

Soudain, ce fut l'explosion de joie.

– Il faut que j'y aille ! s'exclama-t-il.

Gillian ne voyait toujours rien de spécial, ni le tunnel, ni la prairie. Cela signifiait-il qu'il devait regagner l'entre-deux-mondes ?

Alors elle aperçut la lumière.

Éclatante comme un soleil sur la neige et pourtant pas éblouissante, elle semblait scintiller de toutes les teintes de l'univers qui se confondaient au point de devenir blanches.

– Gary…

Il bougeait sans bouger, filant dans une direction qu'elle n'aurait su déterminer, rapetissant, disparaissant.

– Au revoir, Gary, murmura-t-elle.

La lumière s'estompait elle aussi mais, juste avant de s'évanouir, elle parut prendre une forme, comme des ailes immenses qui enveloppaient le jeune homme.

Un court instant, Gillian se sentit elle aussi enveloppée, submergée de puissance, de paix… et d'amour.

Et puis la nuit se referma sur cette vision. Gary était parti. Le calme retombait.

– Tu as vu ça ? souffla Gillian d'une voix cassée.

David regardait encore le ciel les yeux écarquillés.

– Il me semble.

– Et si… les anges existaient vraiment ?

– Regarde ! s'écria-t-il. Les étoiles…

Mais ce n'étaient pas des étoiles, plutôt d'irréels flocons scintillants, des pointes de lumière cristalline, des poussières de glace qui retombaient en feux d'artifice.

– Pourtant, il n'y a aucun nuage…

– Maintenant si, observa David.

À cet instant, les étoiles disparurent et Gillian sentit un souffle frais lui effleurer la joue.

Comme un baiser.

Ce n'était que de la neige, une neige ordinaire, un miracle ordinaire. Main dans la main, Gillian et David la regardaient tomber telle une bénédiction dans la nuit.

Imprimé au Canada par Marquis Imprimeur
Dépôt légal : novembre 2010
ISBN : 978-2-7499-1309-4
LAF 1232 D